OL

CH00847156

Olwynion Gwyllt

Michael Hardcastle

Addasiad Elwyn Ashford Jones

Argraffiad Cymraeg cyntaf—2000
Ail argraffiad—2001

ISBN 1 85902 812 8

Teitl gwreiddiol: *Fast from the Gate*

Cyhoeddwyd gyntaf ym Mhrydain yn 1983
gan Methuen Children's Books,
argraffnod Egmont Children's Books Ltd.,
239 Kensington High Street, Llundain W8 6SA.

Dymuna'r cyhoeddwyr gydnabod cymorth
Adrannau Cyngor Llyfrau Cymru.

Cyhoeddwyd dan gynllun
comisiynu Cyngor Llyfrau Cymru.

Panel Golygyddol Cyfres Cled:
Bethan M. Hughes
Dr Llinos M. Jones
Iwan Morgan

Argraffwyd gan Wasg Gomer, Llandysul,
Ceredigion SA44 4QL

Pennod 1

Wrth i'r beic modur nesu at y tro pedol cyfyng ar y cwrs rasio, gwingodd Siôn Parri ychydig ar ei sêt, ond heb arafu. Roedd yn benderfynol o fynd am y tro mor gyflym ag y gallai er mwyn bod yn barod i wneud y naid goriwaered oedd ar yr ochr arall. Roedd ei feic modur gwyrdd ac arian yn mynd yn berffaith ar ôl cael ei drin. Doedd o erioed wedi gweithio cystal. Y tro hwn, nerfau Siôn fyddai ar brawf—nid y beic!

Chwaraeodd ei fysedd yn ysgafn ar y sbardun wrth iddo ddod at y tro. Yna, mewn symudiad cyflym, trodd ar ei ochr gan blannu ei droed chwith ar y llawr a'i llusgo dros y graean mân wrth fynd rownd y gornel. Rhuthrodd y beic wedyn yn ei flaen fel tarw gwyllt i gyfeiriad y naid fwyaf arswydus ar gwrs rasio Clwb Beiciau Modur Ieuenctid Trefeurig. Roedd Siôn wedi gwneud y naid hon ugeiniau o weithiau o'r blaen—ond erioed ar y fath gyflymdra, chwaith!

Yn sydyn, aeth ei geg yn sych grimp. Y tro diwethaf iddo wneud y naid goriwaered, fe gafodd ei daflu'n ddidrugaredd oddi ar ei feic. A chan mai dim ond deng munud yn ôl y digwyddodd hynny, doedd dim modd iddo anghofio. Ond rŵan roedd Siôn wedi dysgu oddi wrth ei gamgymeriad. Roedd yn amlwg iddo roi gormod o bwysau ar ben blaen y beic y tro diwethaf a hynny wedi achosi i'r olwyn flaen ddisgyn yn gyntaf, gan ei daflu'n bendramwnwgl ar draws y trac. Bu'n lwcus na chafodd anaf!

Gofalodd y tro hwn, felly, bwyso'n drwm ar du ôl y beic wrth iddo nesu at gopa'r bryn. A phan deimlodd y ddaear yn diflannu oddi tano, gafaelodd yn dynnach yng nghyrn y beic. Gwibiodd y beic fel saeth i'r awyr, a Siôn yn tynnu'r cyrn at ei fynwes â'i holl nerth. Am eiliad, fe'i teimlai ei hun yn hofran yn yr awyr fel barcud cyn i'r beic ddisgyn yn ei ôl yn osgeiddig tuag at y ddaear. Y peth pwysig rŵan oedd glanio yn y fath fodd fel y gallai'r beic ruthro'n syth yn ei flaen.

Disgynnodd yr olwyn ôl yn glewt ar ddarn o garreg gan roi ysgytwad caled i'w gorff o'i gorun i'w sawdl. Am ennyd fer, simsanodd y beic. Ond gollyngodd Siôn ei afael ar y throtl a beicio'n gelfydd gan lwyddo i sadio'r beic.

'Geronimo!' gwaeddodd dros bob man, er nad oedd neb o gwmpas i'w glywed. O'r diwedd, roedd o wedi llwyddo i wneud y naid heb ddisgyn! Dyma'r bedwaredd waith iddo geisio gwneud y naid ar y fath gyflymdra yn yr ugain munud diwethaf, a'r tro cyntaf iddo lwyddo! Wrth gwrs, doedd o ddim wedi ei meistroli o bell ffordd; rŵan fyddai'r naid ddim yn rhywbeth i'w hofni, ond yn hytrach yn un her arall iddo fel beiciwr. Ac yn wir, teimlai ei hyder yn llifo'n ôl trwy'i wythiennau.

Safodd ar ei draed ar y pedalau wrth iddo adael y trac, a gyrru'n igam-ogam rhwng y perthi. Drwy'r min nos, bu'n ymarfer yn galed i wella'i sgiliau fel sgramblwr. Fe gafodd dymor llwyddiannus iawn y llynedd, gan ennill y Ras Ganolraddol am y tro cyntaf. Roedd o bellach yn un o'r beicwyr gorau o'i oed yn y Clwb. Ei uchelgais yn awr oedd cael ei ddewis fel aelod o dîm y Clwb ar gyfer Rasys y Clybiau yn ystod y misoedd nesaf.

Wrth iddo gyrraedd y padog, sylwodd ar Eleri, ei gyfnither, yn rhedeg tuag ato. Gyda'i gwallt hir yn donnau cringoch ar ei hysgwydd, a'i siwmper lachar, roedd hi'n ddigon hawdd i'w hadnabod hyd yn oed o bell. Gwenodd Siôn wrth ei gweld. Roedd yn hoff iawn o'i gyfnither—er na feiddiai ddangos hynny—ac roedd hithau, fel yntau, wedi gwirioni'n bot ar foto-beics. A dweud y gwir, ei thad, Cledwyn Gruffydd, a gyflwynodd Siôn a'i frawd Gags, i fotocrós yn y lle cyntaf, a fo hefyd roddodd eu beiciau modur cyntaf iddyn nhw. Roedd wedi tybio na fuasai gan Eleri, gan ei bod yn ferch, fyth ddiddordeb mewn beiciau modur, ond cafodd ei siomi ar yr ochr orau. A hithau wedi'i magu yng nghanol eu sŵn, daeth Eleri i gymryd diddordeb mawr. Buan y profodd i'w thad ei bod hithau'n gallu reidio beiciau cystal â neb. Ac roedd Siôn yn hynod o falch pan glywodd fod Yncl Cled, o'r diwedd, wedi addo prynu beic newydd iddi ar ei phen blwydd ym mis Gorffennaf.

'Hei, Siôn, sut aeth hi?' gwaeddodd Eleri'n llawn brwdfrydedd ar ôl i Siôn wneud andros o sgìd anferth cyn stopio yn ei hymyl. 'Gobeithio na ddaru ti ddim dangos dy hun fel'na ar y cwrs?'

'Naddo wir. Doedd 'na neb yn ddigon gwirion i 'ngwylio i, nagoedd!' atebodd Siôn gan dynnu'i helmed a gwenu ar ei gyfnither.

'O ddifri rŵan. Ddaru ti lwyddo i wneud y naid, 'te?'

'Dim ond ar ôl disgyn ar fy hyd ryw dair gwaith. Ond roedd hynna i'w ddisgwyl, cofia, a finna'n mynd mor gyflym. Ond mi ddaru mi lwyddo i aros ar y beic ar y pedwerydd tro, er iddo wegian fel dyn wedi meddwi! Disgyn ar yr olwyn ôl yn gyntaf ydi'r gyfrinach, ti'n gweld . . .'

'Ac mi rwyt ti wedi meistroli hynny rŵan,' meddai Eleri, oedd ar ormod o frys, fel arfer, i wrando ar weddill yr hanes.

'Gobeithio. Ew . . . mi ddyliet ti fod wedi 'ngweld i heno! Mi gododd y beic 'ma i'r awyr fel roced ac yna llamu 'mlaen fel ewig blwydd . . !'

'Hei! Fy llinell i ydy honna . . !' torrodd Eleri ar ei draws. 'Rwyt ti wedi darllen fy stori yng nghylchgrawn yr ysgol, yn do? A dim codi fel roced ddwedes i beth bynnag, ond codi fel taflegryn rhyngalaethol.'

'Mae hynna'n ormod o long ceg i'w ddweud ar ôl awr ar y trac 'na!' chwarddodd Siôn. 'Ond roedd pob eiliad yn werth y byd heno. Allai'r Llew Lloerig ei hun wneud ddim gwell, ac mi wnes i lanio ar ddwy olwyn heb ddisgyn!'

'Hei, sôn am Steffan, mae'n well i ni frysio, Siôn. Mae o a'i dad ar dân gwyllt isio mynd adre. Nhw ddaru f'anfon i weld lle roeddet ti.'

'Iawn. Wyt ti isio reid yn ôl?'

'Pam wyt ti'n meddwl 'mod i wedi dod yr holl ffordd i dy gyfarfod di?'

Llithrodd Eleri ar y sedd ôl, a chwarae teg iddi fe gofiodd blethu'i dwylo y tu ôl i'w chefn yn hytrach nag o amgylch Siôn. Fe wyddai na allai ef ddioddef neb yn gafael amdano pan oedd ar gefn beic.

Roedd hi'n noson braf o wanwyn a'r haul erbyn hyn yn machlud. Teimlodd Siôn ryw ias oer yn llithro i lawr ei gefn wrth i niwl ysgafn godi o'r môr gerllaw. Gobeithio na fyddai Mr Owen, tad Steffan, yn rhy ddig wrtho am fod mor hwyr. Roedd o wedi ymgolli cymaint yn yr ymarfer heno nes anghofio'n llwyr am yr amser.

Doedd Siôn ddim am bechu Mr Owen ar unrhyw gyfrif. Roedd o wedi bod yn hynod o garedig wrtho yn yr wythnosau diwethaf, yn cario'i feic ac yntau o un ras i'r llall. Ers dwy flynedd bellach, roedd tad Siôn wedi bod yn gweithio ar lwyfan olew ym Môr y Gogledd a phur anaml y deuai adref. Roedd Siôn a Gags, felly, yn gwbl ddibynnol ar garedigrwydd pobl fel Mr Owen ac Yncl Cled.

Pan gyrhaeddodd y ddau y maes parcio, roedd Mr Owen wedi tanio injan y fan dransit yn barod a safai Steffan ar ganol y maes yn chwifio'i ddyrnau yn yr awyr.

'Wyt ti wedi bod yn cysgu ar gefn dy feic neu rywbeth?' gwaeddodd arno. 'Lle aflwydd wyt ti wedi bod? Mi ddwedes i wrthot ti 'mod i isio mynd adre mewn pryd i weld y rhaglen am y rali geir Gymreig ar y teledu!'

'Mae'n ddrwg gen i,' mwmiodd Siôn yn ddiffuant. 'Unwaith dwi ar y trac yna, dwi'n anghofio am amser, 'sti.'

Chwarae teg iddo, ni ddywedodd Mr Owen yr un gair wrth iddo lwytho'r beic i gefn y fan a'i glymu'n ofalus wrth y ffrâm arbennig oedd ganddo.

'Sut hwyl gest ti ar y cwrs 'na heno, 'te?' gofynnodd Mr Owen i Siôn ar ôl iddo ddringo'n ôl i mewn i flaen y fan.

'Iawn, diolch' atebodd Siôn gan ofalu peidio â datgelu gormod gan fod Steffan, fel arfer, yn glustiau i gyd. 'Ceisio gwella'r ffordd dwi'n neidio i lawr rhiwiau wnes i heno. Dwi'n meddwl 'mod i wedi deall sut i wneud rŵan—ar ôl disgyn oddi ar y beic sawl tro!'

'Gwastraff amser llwyr ydi dysgu rhyw sgiliau gwahanol ar gyfer pob rhwystr ar y cwrs,' mynnodd Steffan. 'Mynd mor gyflym â phosib er mwyn ennill y ras ydi'r ffordd orau.'

'Yn union fel rwyt ti'n wneud,' meddai Siôn yn awgrymog gan daflu winc at Eleri.

'Wrth gwrs! A dwi wedi ennill cymaint o rasys sgramblo â ti, Siôn Parri. A chofia mai gen i mae'r record am y beiciwr cyflymaf yn ein grŵp ni!' atebodd Steffan.

Ni allai Siôn wadu hynny. Mynd fel cath i gythraul heb falio am unrhyw berygl oedd dull Steffan o rasio, a heb os nac oni bai roedd o'n llwyddiannus. Ond er edmygu'i ddewrder, allai Siôn ddim dioddef agwedd drahaus a digywilydd Steffan at yrwyr eraill yn y clwb. Sawl gwaith y bu iddo daro gyrrwr oddi ar ei feic os credai fod hwnnw'n ei rwystro? Roedd wedi achosi ambell ddamwain ddiangen ar y trac, ac wedi cael ei wahardd am yrru'n fyrbwyll sawl tro. Er bod gan Steffan feddwl mawr o'i allu'i hun, roedd o wastad yn ddigon parod i gyfaddef bod ei dad yn ddewin gyda'i sbaner ac yn gallu gwneud i'w feic modur greu gwyrthiau ar y cwrs. Roedd gan Siôn hefyd le i ddiolch i Mr Owen am drin a thrwsio'i feic yntau pan oedd angen. Drwy hynny y daeth Steffan a Siôn yn dipyn o ffrindiau.

Rhag ofn i'r ffrae rhwng y ddau fachgen waethygu, newidiodd Arfon Owen y sgwrs ac aeth i sôn am Bencampwriaeth y Clybiau. Yn ei farn ef fe fyddai'n rhaid i Banel Clwb Trefeurig ddewis Siôn a Steffan i gynrychioli'r Clwb y tro hwn. Gwenodd Siôn wrth iddo sylweddoli na soniodd tad Steffan yr un gair am Gags, ei frawd hŷn. Ond dyna fo, doedd Gags ddim wedi gwneud ei farc y llynedd.

'Tân dani, Dad!' gwaeddodd Steffan yn flin wrth sylwi bod ei dad yn gyndyn o basio rhyw hen gar Mini. 'Neu fydda i byth adre mewn pryd i weld y rhaglen 'na heno!'

'Dwi'n gwneud fy ngorau, hogyn!' ochneidiodd Arfon Owen. 'Peth gwirion fuasai mentro pasio ar ffordd mor gul.'

'Ylwch, Mr Owen, does dim rhaid ichi fynd ag Eleri a fi at y tŷ. Mae o gymaint allan o'ch ffordd chi,' awgrymodd Siôn. 'Mi allwch chi'n gollwng ni yn ymyl Eglwys Sant Cynfil. Mi allwn ni groesi am adre'n hawdd drwy'r parc a stad Bryn Tirion.'

Oedodd Mr Owen am eiliad cyn ateb gan roi cip sydyn ar ei fab. Roedd Siôn wedi sylwi ers tro fod Mr Owen wastad yn gwneud ei orau i blesio'i fab pan oedd hwnnw'n mynnu'i ffordd ei hun.

'Wyt ti'n siŵr nad oes ots gen ti?' meddai o'r diwedd. 'Mi fuasen ni adre dipyn ynghynt wedyn.'

Wedi stopio'r fan o flaen yr eglwys, datglymodd Arfon Owen y beic gan ei rowlio i lawr y ramp ac ar y pafin.

'Wyt ti'n siŵr y byddi di'n iawn ar dy ben dy hun o fan'ma?' gofynnodd eto gan ddal i edrych braidd yn betrusgar.

'Wrth gwrs y bydda i,' meddai Siôn yn bendant, gan afael yn dynn yng nghyrn y beic. 'A beth bynnag, tydw i ddim ar fy mhen fy hun. Mae Leri'n aros acw heno achos bod Yncl Cled ac Anti Olwen wedi mynd ar eu gwyliau i Ddulyn. Mi gaiff hi wthio'r beic am yn ail â fi.'

'Hy! Ac ers pryd dwi'n forwyn fach i ti?' atebodd ei gyfnither gan ei bwnio'n chwareus yn ei fraich.

Gwenodd Mr Owen arnynt wrth gau drws y fan.

'Iawn, 'te. Mi awn ni am adre felly. Mi alwa i amdanat ti am un o'r gloch ddydd Sul fel arfer. Gofala fod y beic yn barod. Hwyl!'

Wedi i'r fan ddiflannu i lawr y ffordd, trodd Siôn at Eleri. 'Wyddost ti, fuasai neb ddim callach yr amser yma o'r nos petaen ni'n reidio'r beic 'ma drwy'r parc. Mae gwthio beic mor drwm yn waith caled, ac mi gymerith hi oesoedd inni.'

'Wel, dy fai di ydi o ein bod ni wedi cael ein gadael bellter byd o dy gartre. Felly mi fydd yn rhaid i ti wthio dy feic yr holl ffordd adre—dy hun, yn bydd?'

'Ond mae gynnon ni dros filltir o ffordd!'

'Mae hynny'n well na chael dy ddal gan yr heddlu am reidio beic sgramblo mewn lle cyhoeddus, yn tydi? Chaet ti byth yrru beic modur eto taset ti'n cael dy ddal!'

Gydag un ochenaid fawr, llywiodd Siôn y beic i lawr y llwybr tuag at y parc. A dyna pryd yr agorodd drws ffrynt un o'r bythynnod bychain ar bwys Eglwys Sant Cynfil. Rhuthrodd hen wraig allan a charlamu i lawr y llwybr caregog tuag atynt. Yng ngolau lamp y stryd sylwodd Siôn mai'r hen Miss Winnie Preis oedd hi. Roedd yna storïau hyd y dref yn sôn bod Miss Preis, ar ôl hanner nos, yn troi'n wrach ac yn melltithio pobl ac anifeiliaid fel y mynnai. Ond doedd Siôn ddim yn credu'r fath storïau. Eto, roedd yn dipyn o sioc iddo weld gwraig mor hen â Miss Preis yn rhedeg mor gyflym!

'Chi'ch dau! Dowch y munud yma!' gwaeddodd gan chwifio'i breichiau'n wyllt. 'Mi fydd hi ar ben ar fy nghwrens duon i os na ddowch chi'n syth bìn!'

'Cwrens duon? Yr adeg yma o'r nos!' Edrychodd Eleri yn hurt arni cyn dechrau pwffian chwerthin.

'Fuasech chi ddim yn chwerthin fel 'na, 'ngeneth i, petai 'na globyn o ful gwirion yn difetha'ch gardd chi! Mae'r fandal yn bwyta 'nghoed ffrwythau i i gyd! Mae'n rhaid i chi ei stopio fo! Rŵan!'

'Mul . . ?' Dechreuodd Siôn newid ei feddwl am Miss Winnie Preis a chredu ei bod hi mor wallgo ag yr haerai pobl y dref. 'Ond o le aflwydd y buasai mul yn dod i'ch gardd chi? Ydach chi'n siŵr mai mul ydi o?'

'Ty'd i weld drosot dy hun os nad wyt ti'n coelio,' atebodd Miss Preis yn ddigon sarrug. 'Ond brysia, da ti, neu mi fydd y sbrych wedi bwyta pob coeden sy gen i!'

Gan bwyso'i feic sgramblo'n ofalus ar y postyn gât, rhedodd Siôn i fyny llwybr yr ardd gan ddilyn Eleri a Miss Preis drwy'r tŷ ac i'r ardd gefn hir, gul. Ac yn wir i chi, roedd yna ful yn yr ardd a hwnnw'n bwyta'r coed ffrwythau'n hamddenol braf. Ciledrychodd yn ddifater arnynt am ychydig gan wthio'i glustiau hirion yn ôl tuag at ei war, ond heb stopio cnoi. Esboniodd Miss Preis ei fod eisoes wedi bwyta'r rhan fwyaf o'r eirin Mair a'i fod bellach yn ymosod ar y cwrens duon.

'A finnau wedi meddwl yn siŵr cael dechrau gwneud jam yr wythnos nesa!' dechreuodd yr hen wraig sgrechian eto. 'Hyd nes i'r bwbach yma fwyta pob dim sy gen i!'

Gan ddal i bwffian chwerthin, gafaelodd Eleri yng ngwddw'r mul a cheisio'i dynnu oddi wrth y goeden. Ond doedd dim modd ei symud un fodfedd. Doedd hyd yn oed moronen ffres, hyfryd, ddim yn ddigon o demtasiwn i'r mul. Roedd yn amlwg fod yn well ganddo fwyta ffrwythau na llysiau. Fe geisiodd Eleri sibrwd yn ei glust, ond ei hanwybyddu'n llwyr wnaeth y mul eto.

'Pwy bia'r mul yma, Miss Preis?' gofynnodd Siôn wrth geisio meddwl am unrhyw esgus i adael yr ardd. 'Fe ddylech chi ffonio'r perchennog a gofyn iddo fo ddod yma i'w nôl o . . .'

'Mae'r perchennog ar ei wyliau, a fi sy'n edrych ar ôl y creadur 'ma. Rydw i'n ei fwydo fo yn y cae y tu ôl i'r ardd,' cyfaddefodd Winnie Preis. 'Mae'n siŵr fod y bwbach wedi fy nilyn i ar ôl i mi ei fwydo fo gynnau a malu'r ffens wrth ddod trwodd.'

'Oes ganddo fo enw, Miss Preis?' gofynnodd Eleri.

'Jona. Hen enw gwirion ar ful gwirion, wir.'

'Ylwch, allwn ni ddim aros yma am byth,' meddai Siôn, oedd wedi cael llond bol ar y mul ac ar Winnie Preis. Roedd o'n gwybod hefyd y byddai ei fam yn dechrau poeni ei fod o ac Eleri'n hwyr yn cyrraedd adref. 'Mi ddarllenais i yn rhywle mai'r unig ffordd i symud mul ydi cynnau tân o dan ei fol o . . .'

'Tân! Dim ffiars o beryg! Mi fuasai'r heddlu'n eich arestio chi—a finna hefyd am eich helpu.'

Syllodd y tri mewn anobaith ar y mul. Bellach, roedd hwnnw wedi symud yn hamddenol at y goeden nesaf, a dechrau ei bwyta.

'Does ond un peth amdani,' ochneidiodd Eleri. 'Tydi anifeiliaid, gan gynnwys mulod, ddim yn hoffi sŵn uchel, annisgwyl. Oes gynnoch chi'r ffasiwn beth â chaead bin sbwriel, Miss Preis?'

Pwyntiodd yr hen wraig ei bys yn ddigon di-hid tuag at y drws cefn. Wrth lwc, roedd dau fin yno a'r rheini'n rhai metel. Gafaelodd Eleri yn y caeadau, un ym mhob llaw, gan gripian yn ddistaw y tu ôl i Jona. Yna, trawodd y ddau gaead yn erbyn ei gilydd nes bod y sŵn yn diasbedain dros y lle.

Llwyddiant o'r diwedd! Un eiliad roedd y mul yn cnoi'n braf, a'r eiliad nesaf roedd o'n carlamu fel eliffant i lawr llwybr yr ardd, gan nadu mewn dychryn wrth ei wthio'i hun yn bendramwnwgl drwy'r ffens i'r cae. Rhedodd Eleri ar ei ôl gan ddal i daro'r caeadau, wedi ymgolli'n llwyr yn yr hwyl, nes i Miss Preis weiddi arni.

'Dyna ddigon, hogan, neu mi fyddi di'n deffro holl ysbrydion y fall! A gofala di roi'r caeadau 'na'n ôl ar y biniau neu mi fydd holl gathod y wlad yma heno yn styrbio pawb ac yn gwneud llanast.'

Cododd Siôn ei aeliau wrth edrych ar ei gyfnither. Doedd Miss Preis ddim hyd yn oed wedi diolch iddyn nhw am eu holl drafferth!

'Tyrd Leri, tyrd i ni fynd adre, wir Dduw,' meddai wrthi gan daflu cipolwg digon milain ar Miss Preis.

Roedd Miss Preis yn bur gyndyn o adael iddyn nhw fynd yn ôl drwy'r bwthyn er mwyn cyrraedd y lôn. Mewn llais annaturiol o boléit, dymunodd Siôn 'nos da' iddi, gan obeithio na châi ragor o drafferth efo'r mul. Caewyd y drws yn glep ar eu holau, a chlywsant y bollt yn cael ei wthio i'w le.

Cerddodd Siôn yn flin i lawr y llwybr at y ffordd. Yn sydyn, safodd yn stond ar hanner cam nes y bu bron i Eleri fynd ar ei phen i mewn iddo. Am eiliad neu ddwy, y cyfan y gallai'r ddau ei wneud oedd rhythu'n hurt o'u blaenau heb yngan gair.

Doedd y beic sgramblo ddim yno. Roedd o wedi diflannu.

Pennod 2

'All o ddim jest diflannu i ebargofiant fel'na!' sgrechiodd Siôn am y degfed tro. 'All o ddim!'

'Yli, Siôn, tydi hi ddim gwerth sgrechian fel'na. Rhaid i ti ddechrau meddwl yn bositif,' meddai Eleri, gan geisio tawelu ychydig ar ei chefnder. 'Mae 'na rywun neu rywrai wedi symud dy feic di, dyna i gyd. Am dipyn o hwyl, hwyrach. Jôc.'

'Jôc . . ?' Roedd Siôn yn gynddeiriog. 'Jôc? Tydi hi ddim yn jôc pan mae rhywun yn meiddio *cyffwrdd* â dy foto-beic di. Heb sôn am ei *ddwyn* o! Ac wedi'i ddwyn mae o, coelia di fi. Mae 'na ryw ddihiryn wedi neidio ar gefn y beic 'na a'i yrru o oddi yma! Arhosa di nes i mi gael gafael yn ei gorn gwddw o!' Cododd Siôn ei ddyrnau'n fygythiol i'r awyr.

Ochneidiodd Eleri. 'Siôn bach, petai rhywun wedi'i yrru o oddi yma, mi fuasen ni'n siŵr o fod wedi'i glywed o'n mynd . . .'

'Ond mi roeddet ti'n gwneud y fath ddwndwr efo'r ddau gaead 'na! Ac mi allen nhw'n hawdd fod wedi gwthio'r beic oddi yma a'i gychwyn i lawr y ffordd . . .'

Erbyn meddwl, roedd Eleri'n tueddu i gytuno â Siôn. Debyg fod rhywun wedi dwyn y beic—rhyw leidr cyfrwys wedi gweld ei gyfle a hithau'n dywyll heb neb o gwmpas yn unman.

'Well i ni fynd i ddweud wrth yr heddlu,' awgrymodd Eleri gan godi'i hysgwyddau mewn anobaith llwyr. 'Mi allan nhw anfon neges am y beic ar eu radio a chael pob car heddlu yn yr ardal i chwilio amdano. Siawns y caiff y lleidr ei ddal wedyn.'

'Hwyrach,' mwmiodd Siôn yn ddigon digalon. 'Tybed gawn ni ddeialu 999 yn nhŷ Winnie Preis?'

'Dim ond mewn argyfwng go iawn rwyt ti i fod i ddeialu 999,' atebodd Eleri fel saeth.

'Ond mae hyn *yn* argyfwng . . !'

'Tydi riportio fod moto-beic ar goll ddim yn argyfwng! A waeth i ti anghofio am Miss Winnie Preis ddim. Mae honno'n rhy brysur yn melltithio'r mul 'na yn yr ardd gefn. Gorau po gynta yr awn ni draw i orsaf yr heddlu, ddweda i.'

Wrth lwc, roedd golau yn y swyddfa pan gyrhaeddodd y ddau orsaf yr heddlu, ond bu'n rhaid iddynt aros tipyn cyn i neb agor y drws.

'A beth ar y ddaear mae plant bach fel chi yn wneud allan mor hwyr?' Safai Sarjant Thomas fel cawr o'u blaenau gan lenwi ffrâm y drws. 'Tydi hi ddim yn bryd i chi fod yn eich gwelyau, deudwch?'

'Nid plant ydan ni rŵan, Sarjant!' protestiodd Eleri. 'Rydan ni'n dau yn yr Ysgol Uwchradd ers dros flwyddyn. Beth bynnag, dod yma i riportio fod rhywun wedi dwyn moto-beic gwerthfawr rhyw ugain munud yn ôl ydan ni. Does bosib fod y lleidr wedi mynd ymhell. Tasech chi'n brysio . . .'

'Hanner munud . . . hanner munud . . ! Pwy bia'r moto-beic 'ma? A pham nad ydi'r perchennog wedi dod yma'i hun i riportio'r lladrad?'

'Y fi *ydi*'r perchennog, dyna pam!' atebodd Siôn yn sarrug. 'Beic sgramblo yn y motocrós ydi o. Dwi'n aelod o Glwb Beiciau Modur Ieuenctid Trefeurig. Roeddwn i'n gwthio'r beic adre heno ar ôl ymarfer pan alwodd Miss Winnie Preis arnon ni—'

'Wyt ti'n siŵr nad oeddet ti'n *reidio*'r moto-beic ar y pryd?' Sythodd y Sarjant o'i flaen gan daflu golwg amheus arno. 'Mae gyrru o dan oed yn drosedd—'

'Sarjant, petai Siôn yn reidio'r beic ar y pryd, fuasai neb wedi'i ddwyn o, yn na fuasai?' ceisiodd Eleri egluro. 'Rydan ni'n dau'n ddigon hen i wybod y gyfraith.'

'Hm . . !' oedd unig ymateb y Sarjant cyn iddo o'r diwedd eu gwahodd i'w swyddfa. Yno, cafodd Siôn gyfle i roi disgrifiad manwl o'i feic modur i'r Sarjant gan gynnwys y rhif cod roedd Ewythr Cled wedi'i sgraffinio o dan y sedd ac o dan y tanc petrol. Ysgrifennodd y Sarjant y cyfan yn ofalus yn ei lyfr nodiadau.

'Mae gen i ofn nad oes gen ti fawr o obaith cael dy feic yn ôl,' ochneidiodd y Sarjant wedi iddo orffen sgrifennu. 'Oes gen ti syniad faint o foto-beics sy'n cael eu dwyn bob blwyddyn?'

'Nagoes.'

'Bydda'n barod am sioc, 'te. Hanner can mil. Hynny ydi, ar gyfartaledd, mae 'na foto-beic yn cael ei ddwyn bob naw munud, ddydd a nos.'

Safodd Siôn yn gegrwth wrth y ddesg. Ni allai gredu'i glustiau, na deall chwaith pam fod y Sarjant mor ddigynnwrf, a chymaint o foto-beics gwerthfawr yn cael eu dwyn!

'Ond rydach chi'n dod o hyd i'r rhan fwyaf ohonyn nhw, yn tydach?' gofynnodd Eleri, gan geisio dweud rhywbeth fyddai'n codi calon ei chefnder.

Ond ysgwyd ei ben yn araf a difrifol wnaeth Sarjant Thomas. 'Dim ond tua dwy fil ohonyn nhw, mae arna i ofn. Ar gyfartaledd, rhyw un beic allan o bob dau ddeg pump sy'n cael eu dwyn sy'n dod i'r golwg eto.'

'Ie, ond yn y dinasoedd mawr mae hynny, yntê? Nid mewn tre fechan fel Llangaradog. Mi fydd yn dipyn haws dod o hyd i'r beic yma, siawns.'

'Gobeithio hynny, wir. Ond mae lladron y dyddiau hyn yn gyfrwys iawn, 'sti. Efo'r ffyrdd newydd 'ma, mi fyddan nhw yng nghanol un o ddinasoedd mawr Lloegr ymhen chwinciad chwannen. A buan iawn y byddan nhw wedi ailbeintio'r beic neu wedi'i dynnu oddi wrth ei gilydd er mwyn cael darnau sbâr i feiciau eraill. Does 'na fawr o obaith, mae gen i ofn.'

'Ond mi wnewch eich gorau, Sarjant, dwi'n siŵr,' meddai Eleri'n bryderus.

'Mi rydan ni bob amser yn gwneud ein gorau glas, miss, beth bynnag mae pobl yn ei ddweud amdanon ni!' Edrychodd Sarjant Thomas yn guchiog ar Eleri. 'Ac mi wnawn ni bob ymdrech i gael y beic gwyrdd ac arian 'ma'n ôl i Siôn.'

'Diolch yn fawr,' mwmiodd Siôn yn hynod ddigalon. Roedd o'n dal i feddwl am ei foto-beic druan yn cael ei dynnu'n ddarnau gan ryw ddihiryn.

'Gyda llaw,' torrodd y Sarjant ar draws ei feddyliau. 'Mi wnawn ni adael ichi wybod os down ni o hyd i rywbeth. Does dim rhaid ichi ffonio'r swyddfa bob dydd, cofiwch.'

Gwyddai Siôn o'r gorau beth oedd ar feddwl y Sarjant. Roedd yn amlwg ei fod o'n tybio fod ganddo bethau pwysicach o lawer i'w gwneud na chwilio am ryw feic sgramblo.

Er ei bod hi bellach yn hwyr ac yntau'n

gwybod y byddai ei fam yn bryderus, gwrthod prysuro am adref wnaeth Siôn. Roedd o'n benderfynol o edrych dros bob clawdd a wal rhag ofn y gwelai ei feic yn rhywle. Yr un pryd gwrandawai'n astud ar bob sŵn car a beic a glywai yn y pellter. Gallai adnabod sŵn ei feic yn syth petai raid.

Pan gyrhaeddodd y ddau'r tŷ, roedd Mrs Parri wedi bod yn poeni'n arw ond chafodd yr un o'r ddau ffrae y tro hwn. A hynny'n bennaf oherwydd fod tad Siôn newydd ffonio yr holl ffordd o Fôr y Gogledd ac roedd ganddo newyddion da i'r teulu.

'Wyt ti'n cofio i dy dad fethu dod adre fis Ionawr diwetha achos ei bod hi'n rhy stormus?' meddai'i fam yn frwdfrydig. 'Wel, mae'r Cwmni Olew wedi rhoi mis o wyliau iddo fo yn lle hynny, ac mi fydd o adre ymhen pythefnos. Da, yntê?'

'Gwych,' atebodd Siôn, gan ddangos yr un brwdfrydedd â phetai rhywun wedi gofyn iddo ganu unawd mewn eisteddfod.

'Am unwaith, roedd y llinell ffôn yn glir fel cloch ac mi gafodd Gareth sgwrs hir efo fo. Yn naturiol, roedd dy dad yn siomedig iawn nad oeddet ti adre.'

Ond gwyddai Siôn, hyd yn oed petai o gartref, na fyddai dim byd yn wahanol— byddai Dad wedi treulio mwy o amser ar y ffôn efo Gags. Felly roedd hi bob tro.

Wedi i Eleri fynd i'w gwely, gwelodd Siôn ei gyfle i egluro'n iawn wrth ei fam pam ei fod mor hwyr yn cyrraedd adref. Adroddodd yr hanes am ddiflaniad ei feic modur wrthi ac fel y bu'n rhaid iddo fo ac Eleri fynd i'r Swyddfa Heddlu i roi gwybod iddyn nhw am y lladrad.

Ond doedd gan Mrs Parri fawr o ddiddordeb yn stori Siôn. Roedd ei meddwl hi'n dal ar yr alwad ffôn a'r ffaith y byddai ei gŵr yn dod adref yn fuan, a hynny am fis cyfan! Fe ddangosodd ychydig o gydymdeimlad rhag ofn brifo'i mab. Ond y gwir oedd nad oedd gan Mrs Parri ddim mymryn o ddiddordeb mewn moto-beics nac mewn sgramblo. Ond roedd hi'n ddiolchgar i Cled, ei brawd, am fynd â'r bechgyn i'r gwahanol rasys ac am drwsio'u beiciau pan oedd raid.

Yn y man, aeth Siôn i'w lofft a rannai gyda'i frawd. Pan agorodd y drws, eisteddai Gags ar y gwely yn darllen rhyw gomic antur.

'Ti'n ôl, 'te,' meddai, gan daflu'r comic o'r neilltu. 'Mi ddylet ti fod wedi bod adre heno. Mi ffoniodd Dad—'

'Dwi'n gwybod,' ochneidiodd Siôn gan ddechrau dadwisgo.

Ond yn ei flaen yr aeth Gags, gan roi holl fanylion yr alwad ffôn, a beth oedd ei dad yn mynd i'w wneud pan ddeuai adref, nes roedd Siôn wedi diflasu'n lân. Wedi i Siôn neidio i'w wely a diffodd y golau, dechreuodd Gags—oedd yn hŷn na Sion o flwyddyn a diwrnod—holi am yr ymarfer.

'Sut aeth pethau heno?'

Penderfynodd Siôn y byddai'n rhaid iddo ddweud yr hanes. Byddai ei frawd mawr yn siŵr o glywed drannoeth beth bynnag. Wrth iddo ddweud cyn lleied ag oedd yn bosibl am yr hyn ddigwyddodd, gallai Siôn ddychmygu'r grechwen ar wyneb Gags. Ni chymerai lawer o amser i hwnnw sylweddoli, gyda'i frawd bach o'r ffordd, y byddai ganddo ef bellach siawns ardderchog o ennill y rasys.

'Wel! Wel!' meddai gan geisio cuddio'i lawenydd. 'Ro'n i'n gwybod dy fod yn un da ar y naw am golli mewn rasys, ond do'n i ddim yn gwybod dy fod ti gystal am golli dy feic!'

'Dwi wedi ennill mwy o rasys na ti, a dyna be sy'n cyfri!' arthiodd Siôn ar ei frawd. Trodd ar ei ochr i fynd i gysgu, ond roedd dagrau'n mynnu cronni yn ei lygaid.

Ond roedd Gags wastad yn mynnu cael y gair olaf. 'Does gen ti ddim gobaith mul yn y Grand National i ennill unrhyw ras eleni, a tithau heb feic, yn nagoes? A phwy yn y byd fyddai'n prynu un newydd i *ti*?'

Tynnodd Siôn y dillad dros ei ben, ac am eiliad fer fe gredai'n sicr mai Gags, ei frawd, oedd rywffordd yn gyfrifol am ddiflaniad ei feic.

Pennod 3

Aeth wythnos heibio, a Siôn heb glywed gair gan yr heddlu am ei feic. Aeth draw am dro un noson i Glwb Beiciau Modur Ieuenctid Trefeurig i wylio rhai o'r rasys sgramblo. Gofalodd gyrraedd ynghynt nag arfer er mwyn cael gweld y beiciau'n cael eu dadlwytho o'r faniau a'r trelars. Ni chredai y byddai'r un aelod o'r Clwb yn ddigon dwl i ddwyn ei feic ac yna ei ddefnyddio yn y rasys heno. Ac eto, ni allai beidio â gwylio gyda llygaid barcud pob beic a ddeuai allan o'r faniau.

I Siôn, hon fu'r wythnos hiraf yn ei fywyd. Bob dydd, bu ar dân gwyllt eisiau mynd i orsaf yr heddlu i holi sut roedd y chwilio'n mynd yn ei flaen. Ond gan nad oedd yr un plismon wedi cysylltu ag o, fe wyddai o'r gorau nad oedd neb wedi gweld ei feic yn unman. Erbyn hyn, fe allai ei feic druan fod wedi'i rannu'n gannoedd o ddarnau bychain a'r rheini wedi'u chwalu ar draws y wlad. Ond doedd o ddim am feddwl am y fath beth. Na, credai'n siŵr fod y beic yn dal yn un darn yn rhywle, yn cael ei guddio mewn hen sièd, hwyrach.

Aeth Siôn draw am y padog, gan hanner

disgwyl gweld Eleri yno. Roedd ei rhieni wedi dod yn ôl o Ddulyn y diwrnod cynt, ac roedd Yncl Cled wedi addo dod â Gags a'i feic i'r rasys. Teimlai Siôn yn bur bryderus o orfod wynebu ei ewythr gan mai ef, wedi'r cwbl, oedd wedi prynu'r beic iddo yn y lle cyntaf.

Roedd hi'n noson dawel a heulog yn dilyn wythnos sych a braf. Roedd y trac mewn cyflwr perffaith—y math o drac y byddai Siôn wrth ei fodd yn reidio'i feic arno. Ond heno, doedd hynny ddim yn bosib. Ni châi wneud dim heno heblaw sefyll ar yr ochr a gwylio. Fe fyddai'n teimlo ychydig yn well petai wedi bod yn glawio drwy'r wythnos a'r trac yn fôr o fwd.

Erbyn hyn, roedd criw o bobl wedi ymgynnull wrth y fan reoli lle byddai'r rasys yn cychwyn. Gwyddai y byddai llawer o'r beicwyr oedd yno yn eilyddion, ac yn *gweddïo* am i un o'r tîm beidio â throi i fyny er mwyn iddyn nhw gael cymryd rhan yn y ras. Wel, mi fyddai un ohonyn nhw'n lwcus yn y Ras Ganolraddol, o leia, achos fyddai'r beiciwr di-guro, cyflym fel mellten ac arwr y byd beicio—sef Siôn Parri—ddim yn reidio heno! Pwy, tybed, fyddai'n cymryd ei le?

Llusgodd Siôn ei draed tuag at y stondinau gerllaw. Ym mhob ras sgramblo byddai nifer o stondinau'n gwerthu pob math o nwyddau ar gyfer beiciau modur: gwisgoedd lledr, helmedau gyda fisorau haul, esgidiau, padiau pen-glin newydd ac ail-law, ac amrywiaeth o offer ar gyfer trin a thrwsio beiciau. Ar un o'r stondinau hyn, os cofiai'n iawn, y prynodd Eleri fascot i ddod â lwc iddo. Gallai ei deimlo'n awr yn ei boced—y cylch allweddi bychan gyda darn o ledr du siâp cath wedi'i glymu wrtho. Gwasgodd Siôn y darn lledr yn ffyrnig. Doedd o ddim wedi dod â llawer o lwc iddo'n ddiweddar, beth bynnag!

'Awydd helmed newydd, Siôn?' gwaeddodd un o'r stondinwyr arno. 'Mae'r helmed yma wedi'i gwneud o ddeunydd newydd sbon, wyddost ti, ac mor ysgafn â phluen. Prin y gelli di ei theimlo ar dy ben. Tyrd, tria hi. Fyddi di byth isio gwisgo unrhyw helmed arall wedyn!'

'I be aflwydd ydw i isio gwisgo helmed os nad oes gen i feic i'w reidio?' cyfarthodd Siôn yn swta ar y dyn.

Edrychodd y dyn arno mewn penbleth. Roedd wedi gwerthu sawl peth i Siôn yn y gorffennol, ac wedi ei gael yn fachgen clên, cwrtais bob amser. Beth oedd wedi ei gorddi heddiw, tybed?

Trodd Siôn am eiliad i gael cipolwg ar y beiciau ail-law oedd ar werth. Er nad oedd yr un ohonyn nhw'n cymharu â'i feic o, eto ni allai lai na sylwi ar y beic Honda 100cc a safai ar un o'r trelars isel o dan arwydd 'Ar

Werth'. Roedd o wedi'i beintio mewn coch llachar, ac er mai un ail-law ydoedd, edrychai mewn cyflwr rhagorol. Gwyddai Siôn mai gyda'r math hwn o feic y gallai ennill y Ras Ganolraddol. Tybed a fuasai'r perchennog, pwy bynnag oedd o, yn ystyried iddo gael talu amdano fesul mis? Tybed hefyd a fuasai ewythr Cled yn fodlon helpu i dalu amdano?

Ond gwyddai Siôn o'r gorau nad oedd gobaith mul ganddo i gael arian gan ei ewythr na neb arall. Petai Gags, ei frawd, wedi colli'i feic, mae'n siŵr y byddai ei ewythr wedi prynu un newydd iddo yn syth! A dyna oedd y drafferth. Ers y dechrau, credai Yncl Cled mai Gags oedd y reidiwr gorau o'r ddau gan mai ef oedd yr hynaf. Ac er i Siôn·brofi ar hyd y misoedd diwethaf ei fod o'n llawer gwell beiciwr na'i frawd, ac wedi ennill mwy o rasys, doedd dim modd newid meddwl ei ewythr.

Dyn styfnig fu ei thad erioed, yn ôl Eleri, ac roedd hi'n ei adnabod yn well na neb. Na, gwastraff amser fyddai gofyn i'w ewythr am help i brynu beic newydd. Yr unig obaith oedd ganddo i reidio eto oedd dod o hyd i'w feic ei hun!

Erbyn hyn, gwibiai'r beicwyr hyd y lle fel morgrug, yn newid teiars ar y funud olaf, addasu tyndra'r cadwyni, archwilio ceblau'r brêcs a thynhau plygiau a sgriwiau. Trodd ambell un ato i gydymdeimlo ar ôl clywed am ddiflaniad ei feic. Ond nid cydymdeimlad oedd ar Siôn ei angen, ond ei feic yn ôl er mwyn iddo yntau gael reidio heddiw!

Ciliodd o'r padog, a mynd at ymyl y trac i wylio ras y Beicwyr Iau oedd newydd gychwyn. Er nad oedd ganddo fawr o ddiddordeb yn y ras hon, aeth sawl atgof drwy ei feddwl am y dyddiau pan oedd ef ei hun yn rasio yn y dosbarth hwn. Dim ond dwy flynedd yn ôl oedd hynny, ond teimlai fel can mlynedd!

Yn sydyn, ar yr union gornel lle safai Siôn, disgynnodd un o'r beicwyr—Rhys Thomas— mewn damwain gas. Roedd Rhys wedi rasio rownd y gornel ar ei gyflymdra arferol, ond yn sydyn newidiodd ei feddwl a cheisio brecio wrth droi'r olwyn flaen. Disgynnodd y beic a llithro ar draws y trac, gan fynd ar ei ben i mewn i feic arall oedd yn dod o'r tu ôl iddo.

Llamodd dyn oedd yn sefyll yn ymyl dros y rhaff, a rhedeg at y ddau feic i geisio helpu. Roedd gwraig oedd yn gwisgo gwasgod swyddog ac yn dal baneri diogelwch ar fin ei ddilyn, pan waeddodd y dyn arni i sefyll lle roedd hi. Rhedodd Siôn ei hun ar y trac i geisio arbed rhagor o ddamweiniau. Roedd y rhan yma o'r cwrs yn hynod o gul heb fawr o le i feiciau eraill fynd heibio.

'Dwyt ti fawr gwaeth, nag wyt ti, 'ngwas i?'

gofynnodd y dyn wrth iddo godi Rhys oddi ar y trac.

Gafaelodd Siôn ym meic Rhys a'i wthio ar frys oddi ar y trac i le diogel. Ym marn Siôn, roedd Rhys wedi dod at y gornel ar ormod o frys o'r hanner. Ond dyna fo, ei lysenw gan y beicwyr eraill oedd Rhys ar Frys!

Wrth i Siôn orffen clirio, daeth dau feiciwr arall rownd y gornel yr un pryd a tharo'n swnllyd yn erbyn ei gilydd. Roedd Siôn wedi digwydd sefyll ar y gornel waethaf un am ddamweiniau ar y cwrs cyfan.

Erbyn hyn, roedd un o'r dynion Cymorth Cyntaf wedi cyrraedd, ond yn hytrach nag archwilio'r beicwyr fe ddechreuodd hwnnw ffraeo'n gas â'r wraig oedd yn swyddog. Roedd mor brysur yn ei chyhuddo o fusnesa fel yr anghofiodd yn llwyr chwifio'r faner felen i rybuddio'r beicwyr eraill fod damwain wedi digwydd. Ond roedd hi'n gwadu hynny'n bendant.

'Ond mi *wnes* i chwifio'r faner! Mae'n rhaid fod pawb wedi 'ngweld i,' protestiodd yn ffyrnig gan edrych o'i hamgylch am rywun i'w chefnogi. Yna fe welodd Siôn. 'Mi welaist ti fi'n chwifio'r faner, on'd do, Siôn Parri?'

'Ym, naddo, mae gen i ofn,' atebodd Siôn, yn benderfynol nad oedd o'n mynd i gael ei dynnu i mewn i'r ffrae. 'Ro'n i'n rhy brysur yn symud y beiciau o'r ffordd.'

Ciliodd yn ôl wysg ei gefn—rhag ofn i'r wraig fynnu ateb mwy pendant ganddo—gan daro'n galed yn erbyn rhywun.

'Hei! Gwylia lle rwyt ti'n mynd, wnei di! Mae 'na ddigon o ddamweiniau'n digwydd yma fel mae hi!'

'Mae'n ddrwg gen i,' mwmiodd Siôn. Pan drodd ei ben, pwy oedd yn sefyll yno ond Geraint Huws—un o gefnogwyr mwyaf brwd y Clwb, a'r mwyaf cyfoethog—a Rhodri, ei fab, wedi'i daflu dros ei ysgwydd fel sach o datws.

Roedd Rhodri yr un oed â Siôn, ac roedd y bachgen druan wedi cael damwain yr wythnos cynt gan dorri'i figwrn. Gyda'i droed mewn plastr, prin y gallai gerdded a dyna pam roedd yn cael ei gario ar ysgwydd ei dad. Doedd Rhodri ddim am golli dim o hwyl y rasys!

'Sut wyt ti'n teimlo, Rhodri?' gofynnodd Siôn, yn falch o gael sgwrsio â rhywun er mwyn osgoi'r ddynes wirion a'i baner.

'Dwi'n well. Ond cha i ddim reidio am fisoedd eto, mae arna i ofn,' atebodd Rhodri. 'Biti na fuasai Dad yn gallu gwneud moto-beic efo un pedal droed, yna mi allwn i rasio eto!'

Chwarddodd Siôn, ond roedd ganddo gydymdeimlad llwyr â Rhodri. Ond wedyn, ymhen rhai wythnosau mi fyddai migwrn

Rhodri wedi gwella ond doedd dim sicrwydd y gwelai Siôn ei feic byth eto.

'Ddyliet ti ddim bod yn paratoi dy feic at y ras nesa?' gofynnodd Mr Huws i Siôn wrth iddo osod ei fab i eistedd ar y glaswellt. 'Does dim o'i le, nagoes?'

Doedd dim dewis gan Siôn ond dweud y cyfan wrth y ddau am sut y bu i'w feic gael ei ddwyn ac nad oedd yr heddlu, yn ei farn o, yn gwneud fawr o ymdrech i ddod o hyd iddo.

Wedi gwrando'n ofalus, meddai Mr Huws, 'Beth am dy Ewythr Cled? All o ddim cael beic arall i ti? Mae o bob amser mor dda wrthat ti a dy frawd.'

'Na, fedrith o ddim y tro yma,' eglurodd Siôn. Doedd o ddim am feirniadu ei ewythr o flaen dieithriaid. 'Newydd ddod yn ôl o'u gwyliau yn Nulyn mae o ac Anti Olwen.'

'Ydi dy wisg reidio gen ti . . . a dy sgidiau a ballu?' gofynnodd Rhodri'n sydyn.

'Ydyn,' atebodd Siôn braidd yn ddryslyd. 'Mi ddois â nhw rhag ofn . . . rhag ofn i fy meic i ddod i'r golwg yn rhywle.'

'Wel, os leci di, mi gei di reidio fy meic sbâr i, y Kawasaki. Mae'n well fod rhywun yn ei reidio na'i fod yn sefyll yn segur,' cynigiodd Rhodri.

Ni allai Siôn goelio'i glustiau.

'Wir, Rhod? Wyt ti'n wir yn fodlon benthyg dy feic i mi?'

'Pam lai? Rwyt ti'n reidiwr da a dwi'n gwybod na wnei di mo'i falu o. Mae'n well gen i weld y beic 'na ar y trac nag yn sefyll yn y fan. Mi fydd hi'n iawn i Siôn fenthyg y beic, yn bydd hi Dad?' meddai Rhodri gan droi at ei dad.

Nodiodd Mr Huws ei ben yn frwdfrydig.

'Ro'n i'n mynd i gynnig yr union beth fy hunan,' meddai. 'Os wyt ti'n ddigon cyfforddus ar y glaswellt 'na, Rhodri, mi a' innau efo Siôn i nôl y beic o'r fan. Fydda i ddim yn hir.'

Cyn i Siôn gael ei wynt ato i ddiolch i Rhodri, roedd Mr Huws wedi gafael yn ei fraich ac yn ei arwain at y maes parcio.

'Mae o mewn cyflwr hynod o dda, er mai fi fy hun sy'n dweud!' gwenodd wrth dynnu'r beic Siapaneaidd gwyrdd a gwyn allan o'r fan. 'Chei di ddim llawer o feiciau gwell na hwn. A beth bynnag, mi gawn ninnau gyfle i weld sut y bydd o'n ymddwyn ar y trac.'

Llithrodd Siôn ei fysedd yn ôl ac ymlaen dros y beic. Ar y foment hon, hwn oedd y beic harddaf a chryfaf yn y byd ac ni allai Siôn goelio'i lwc yn cyfarfod Rhodri a'i dad. Rŵan, roedd o'n ôl yn y ras!

'Yli, well i ti fynd ar dy union at y fan reoli a gadael i'r swyddogion wybod dy fod ti wedi gorfod newid dy feic,' awgrymodd Mr Huws.

'Wedyn, dos i nôl dy wisg reidio. Cofia, os byddi di'n brin o rywbeth, mae 'na ddigon o geriach yng nghefn y fan 'ma, digon o badiau pen-glin a phadiau arbed ysgwyddau. Ffwrdd â ti, 'te. Mi fyddwn ni'n gweiddi nerth ein pennau pan ddoi di rownd y gornel 'na, cofia. Mi fydd yn dda gweld Rhodri'n cymryd diddordcb personol yn y ras unwaith eto.'

Rhedodd Siôn ar garlam tuag at y fan reoli. Fe roddai unrhyw beth am gael dweud wrth Eleri ei fod yn ôl yn y ras. Ond wrth iddo nesáu at y fan, pwy ddaeth i'w gyfarfod ond ei thad, Yncl Cled.

'A, Siôn, dwi wedi bod yn chwilio amdanat ti,' meddai a golwg flin ar ei wyneb. 'Mae gen i isio gair efo ti—'

'Mae'n ddrwg gen i, Yncl Cled, ond fedrwch chi aros tan ar ôl y ras?' torrodd Siôn ar ei draws wedi cyffroi'n lân. 'Mi fydd yn rhaid i mi gael y beic 'ma'n barod.'

'O! Mi rwyt ti wedi dod o hyd i dy feic, felly?' meddai ei ewythr, a gwên yn dechrau cymryd lle'r gwg ar ei wyneb. 'Wel, dyna . . .'

'Y . . . ddim yn union . . .' straffagliodd Siôn. 'Ga i egluro wrthoch chi'n nes ymlaen? Mae hi'n stori hir. Cawsoch chi amser da yn Nulyn?'

'Gawn ni weld, yn cawn?' atebodd ei ewythr a'r gwg yn dychwelyd i'w wyneb. 'Mae'n dibynnu ar be ddigwyddodd tra

oedden ni i ffwrdd, yn tydi? Mae Gareth
wedi dweud yr hanes wrtha i—'

'Palu celwyddau mae hwnnw bob tro!'
atebodd Siôn yn flin, gan wthio'r beic tuag at
y fan. 'Mi ddweda i'r *gwir* wrthoch chi ar ôl i
mi roi cweir go iawn i Gags yn y ras nesa
'ma.'

Pennod 4

Doedd Siôn ddim yn teimlo cweit mor hyderus ynghylch y ras wrth iddo eistedd ar sedd y Kawasaki'n disgwyl i'r tâp ar ddechrau'r ras gael ei godi. Yn anffodus, ni chafodd fawr o lwc wrth dynnu'i enw o'r het rhyw bum munud ynghynt, a chafodd ei osod ymysg y pentwr o feicwyr yng nghanol y trac. Gwyddai o brofiad fod y gornel gyntaf ar y cwrs yn un gyfyng iawn ac roedd angen iddo gychwyn fel mellten i gael y blaen ar y beiciau eraill.

Ar gwrs fel hwn, y rhai oedd ar y blaen yn y cychwyn fyddai'n cael y fantais, ond iddyn nhw gadw'u pennau. Roedd rhaid gadael y llinell gychwyn cyn gynted ag oedd modd, ond ni wyddai Siôn sut y byddai'r beic dieithr yma'n ymateb.

Ar y dde i Siôn roedd Llion Mathews, un o'r goreuon o'i oed ar gefn beic modur ac un yr oedd Siôn wedi cystadlu yn ei erbyn droeon. Cododd aeliau llygaid Llion am eiliad pan sylwodd ar y beic roedd Siôn yn eistedd arno. Doedd dim cyfle i ddweud yr hanes wrtho, ond fe wyddai Siôn y byddai ei hen elyn yn falch o'i weld yn gorfod reidio beic dieithr. Roedd Siôn wedi gobeithio na fuasai'r

38

un o'r cystadleuwyr, yn enwedig Llion, wedi sylwi ei fod ar gefn beic rhywun arall. Wedyn, unwaith y câi Siôn y blaen, byddai'r llwch yn codi ac yn cuddio'r beic. Ond bellach roedd Llion Mathews, o bawb, yn gwybod!

Teimlai Siôn ei nerfau'n tynhau wrth iddo ddisgwyl am gael cychwyn. Gwlychodd ei wefusau a cheisiodd esmwytho ei fysedd y tu mewn i'r menig gyrru. Gwasgodd y throtl yn barod i gychwyn a gweddïodd am lwc.

Er ei obaith mawr i gael bod ar y blaen cyn cyrraedd y gornel gyntaf, yn anffodus i Siôn y fo oedd un o'r rhai olaf i gychwyn. Rhywsut neu'i gilydd, doedd o ddim wedi sylwi ar y tâp yn codi a'r peth nesaf a welodd oedd olwyn ôl Llion Mathews yn codi cwmwl o lwch gwyn i'w wyneb. Ond Nia Llwyd, yr unig ferch yn y ras, oedd ar y blaen ar ei Yamaha.

Dechreuodd olwyn ôl ei feic droi yn ei hunfan fel chwrligwgan, a bu'n rhaid i Siôn neidio i fyny ac i lawr ar y sedd cyn llwyddo i symud y beic. Suddodd ei galon i waelod ei fol wrth iddo wynebu'r cymylau o lwch a baw a godai o'r beiciau o'i flaen. Roedd o wedi gwneud cawl go iawn o'r ras gyntaf ar y beic benthyg!

Ond wedi i'r llwch glirio, sylwodd Siôn fod y beiciau o'i flaen yn arafu ac ambell un yn troi i'r ochr. Chwifiai un o'r swyddogion ei faner goch yn chwyrn. Roedd yn amlwg fod rhywun wedi cychwyn oddi ar y llinell cyn cael yr arwydd. Doedd ryfedd nad oedd Siôn wedi gweld y tâp yn codi, felly!

Wrth i'r beiciau ailffurfio ar y llinell gychwyn, teimlai Siôn y tensiwn yn ei fol unwaith eto. Ni wyddai a fyddai'r beic hwn yn perfformio gystal â'i un ef ei hun. Eto, ni fuasai Rhodri byth wedi prynu beic gwael. Na, dim ond mater o ddygymod â beic dieithr oedd o. A'r unig broblem oedd nad oedd ganddo'r amser i wneud hynny!

Rhythodd Siôn ar yr arwydd cychwyn fel barcud yn chwilio am ysglyfaeth, a'r tro hwn roedd yn barod i ymateb ar y symudiad lleiaf. A phan dynnwyd y tâp yn ôl sbardunodd Siôn yn ei flaen. Wrth lwc, ni throdd yr olwyn ôl yn ei hunfan y tro hwn, ac yn fuan iawn roedd Siôn ymysg y beicwyr blaen.

Erbyn y gornel gyntaf roedd Siôn wrth gwt Llion Mathews. O fewn trwch blewyn i'r dde iddo roedd Nia Llwyd. Newydd ymuno â'r Clwb roedd Nia, ond roedd hi eisoes wedi dangos plwc a dewrder a olygai na fyddai'n hawdd ei churo. Trodd y beiciau modur y gornel gan adael cwmwl anferth o lwch a mwg ar eu holau. Ar y darn syth wedyn, ymddangosodd bwlch sydyn rhwng dau feic a gwelodd Siôn ei gyfle. Ni oedodd—gwyddai'n iawn, os na chymerai ei gyfle yn awr, na fyddai ganddo fawr o obaith yn nes ymlaen.

Y tro hwn, fe ymatebodd y Kawasaki'n wych, ac ymhen dim amser llwyddodd i gyrraedd y chweched safle yn y ras.

Yn union o'i flaen ar hyn o bryd oedd Heini Rowlands, neu Hei Fflei fel y galwai ei ffrindiau ef yn y clwb. Bob cyfle a gâi, byddai Heini wrth ei fodd yn hedfan ei feic wrth rasio, a threuliai gymaint o amser yn yr awyr fel nad oedd ganddo obaith i ennill unrhyw ras! A doedd gan Siôn, felly, fawr i boeni amdano cyn belled ag yr oedd Heini yn y cwestiwn.

Y prawf nesaf oedd y tro pedol bachog lle roedd Rhodri a'i dad yn gwylio. Penderfynodd Siôn nad oedd o ddim am fentro mynd yn gyflym am y gornel hon—er mwyn dangos i Rhodri ei fod yn parchu ei feic.

Llwyddodd i droi'r gornel, er i feic oedd yn ceisio mynd heibio iddo daro'i olwyn ôl yn galed. Doedd Siôn ddim yn rhy hapus gyda'r clytsh chwaith, gan ei fod yn tueddu i lithro ar brydiau. Hwyrach fod Mr Huws wedi anghofio sôn wrtho am y gwendid yma yn y beic.

Yn sydyn, ymddangosodd yr un beic eto o'r tu ôl iddo gan ddal i wneud ei orau i'w basio. Cymerodd Siôn gipolwg yn y drych a sylwodd, er syndod iddo, mai ei frawd, Gags, oedd y beiciwr. Go brin fod Gags wedi ei adnabod, ac yntau ar gefn beic dieithr. Ond yr hyn a synnodd Siôn oedd fod ei frawd gymaint ar ôl yn y ras. Fel arfer, byddai'n un da am gychwyn o flaen pawb ac yna'n colli drwy wneud camgymeriadau gwirion yn nes ymlaen. Hwyrach fod y cam-gychwyn wedi ei ddrysu y tro hwn, ac roedd yn sicr yn gwneud ei orau glas bellach i ddal Llion Mathews a'i debyg.

Er ei fod yntau mor awyddus â neb i ennill y ras, cafodd Siôn ei demtio i rwystro'i frawd rhag pasio. Roedd y dacteg yma'n un ddigon cyffredin ac fe fyddai pawb yn ei defnyddio yn eu tro. Ond fe wyddai o'r gorau fod Gags yn arfer mynd yn wallgof pan fyddai rhywun yn ceisio'i rwystro rhag pasio—yn enwedig am un lap gyfan o amgylch y cwrs!

Fe wyddai hefyd lle yn union ar y cwrs y byddai Gags yn ceisio'i basio, sef ar allt serth oedd yn dilyn cornel gwta tua hanner ffordd ar hyd y cwrs. Ar yr allt hon, roedd nifer o hen wreiddiau'n codi i'r wyneb gan gordeddu drwy'i gilydd fel nadroedd. Yma y byddai'r gyrwyr gorau yn dangos eu dawn a'u dewrder ac yn gadael y beicwyr cymedrol ymhell ar ôl.

Felly penderfynodd Siôn ddefnyddio pob tacteg bosibl i rwystro'i frawd ac yna, pan ddeuai at yr allt, gwasgu'r sbardun a'i adael ar ôl—ond nid cyn gadael i Gags wybod pwy oedd ar gefn y beic, wrth gwrs! Am y tro cyntaf ers tro, teimlai Siôn yn hapus a daeth gwên lydan dros ei wyneb wrth feddwl am ei frawd mawr yn colli'i limpin!

Felly y bu. Wrth arafu a chyflymu ambell dro, a mynd igam-ogam dro arall, llwyddodd Siôn yn rhyfeddol i gadw'i frawd y tu ôl iddo. Gallai ddychmygu Gags erbyn hyn yn sgyrnygu'i ddannedd ac yn chwyrnu fel llew, ond doedd Siôn ddim am ildio'r un centimetr iddo.

O'i flaen yn awr roedd y tro cwta digon peryglus, a chan fod Gags wrth ei gwt o hyd, ac yn ei herio bob modfedd o'r ffordd, doedd gan Siôn fawr o ddewis ond agor y throtl er mwyn cael y blaen arno.

Sylweddolodd yn syth ei fod yn mynd yn llawer rhy gyflym tuag at y gornel, ond roedd yn ddigon hyderus y gallai ei chymryd. Roedd y Kawasaki ac yntau'n deall ei gilydd i'r dim bellach.

Yn reddfol, dechreuodd frecio ychydig ond rhywffordd llithrodd ei fawd gan wasgu'r throtl mewn camgymeriad. Gyda'r olwyn flaen wedi'i throi, a'r olwyn ôl yn rhuo 'mlaen, roedd Siôn mewn trafferth!

Gwyrodd y beic modur yn chwyrn, ond llwyddodd Siôn i'w gadw rhag troi drosodd. Wrth iddo geisio unioni'r beic, pwy basiodd—wedi iddo weld ei gyfle—ond Gags. A'r eiliad honno hefyd, gwelodd Gags pwy oedd ar y beic a gwthiodd ei goes chwith allan gan gicio beic ei frawd o'r ffordd. Syrthiodd Siôn a'r beic yn bendramwnwgl ar y llawr.

Wedi codi ar ei draed archwiliodd Siôn bob cymal ac asgwrn yn ei gorff. Wrth lwc, doedd o ddim wedi brifo heblaw ychydig ar yr ysgwydd y glaniodd arni. Diolch byth, roedd y beic yn dal i edrych fel petai mewn un darn. Ni allai feio Gags am yr hyn a wnaeth o. Roedd yntau wedi bod ar fai yn ei wylltio trwy ei rwystro rhag pasio.

'Ti'n iawn, wàs?' gofynnodd un o'r swyddogion a redodd tuag ato. 'Roeddet ti'n mynd yn llawer rhy gyflym am y gornel 'na, wyddost ti.'

'Mi wnes i gamgymeriad,' eglurodd Siôn yn gyflym. 'Nid fy meic i ydi o, 'dach chi'n gweld, a rhaid 'mod i wedi gwasgu'r throtl gan feddwl mai'r brêc oedd o. Camgymeriad hawdd ei wneud, yntê? Dwi'n iawn, beth bynnag, a dwi isio mynd yn ôl i mewn i'r ras.'

A chwarae teg iddo, ni cheisiodd y dyn ei rwystro. Dyna oedd y drefn. Os nad oedd y beiciwr wedi brifo rhyw lawer, ac yn awyddus i fynd yn ôl i mewn i'r ras, yna byddai'r swyddogion yn rhoi pob cefnogaeth. Ond fe wyddai Siôn nad oedd ganddo fawr o obaith bellach o guro Gags—na neb arall chwaith.

Wedi iddo yrru ymlaen, gwaethygodd y boen yn ei ysgwydd ond doedd ganddo ddim amser i gymryd sylw ohono. Rhaid oedd

44

paratoi rŵan am yr allt serth oedd o'i flaen. Dyma'r rhan anoddaf o'r holl gwrs; nid yn unig gorfod dringo'r allt ond hefyd gorfod osgoi holl wreiddiau'r coed. Gwyddai am ambell feic a gyrrwr a ddaeth i ddiwedd ei ras ar yr allt hon. Sylwodd ar un bachgen yn awr yn cael help gan ddynion y Cymorth Cyntaf, a'i Suzuki druan ar wastad ei gefn.

Dechreuodd ddringo'n llawn hyder ond, yn sydyn, teimlodd y beic yn gwanhau oddi tano. Er iddo gyflymu digon ar droed y rhiw, eto, heb os, roedd y beic yn colli sbîd yn awr. Swniai'r peiriant yn holliach, ond doedd gan y beic ddim mymryn o nerth i ddringo. Erbyn hyn, roedd rhai o feicwyr arafa'r ras yn ei basio'n hawdd. Gwyddai nad oedd ganddo fawr o ddewis ond dringo'r allt yn igam-ogam a cholli peth wmbredd o amser gwerthfawr wrth wneud hynny.

Yn naturiol, roedd Siôn yn gwybod o brofiad fod ambell feic yn dueddol o ymddwyn yn od hyd nes i'r gyrrwr ddod i'w ddeall yn iawn. Hwyrach fod ar y Kawasaki angen ei fwytho ychydig cyn disgwyl iddo ddringo rhiw mor serth.

Wedi straffaglu i gyrraedd y top, gyrrodd Siôn yn ei flaen drwy'r coed. Roedd y trac yn ddigon caled rŵan ac fe allod yntau gyflymu tipyn a phasio rhai o'r beicwyr beiddgar hynny oedd wedi ei basio ar yr allt ynghynt.

Mae'n siŵr fod Gags, erbyn hyn, rywle ar y blaen ac yn herio'r arweinwyr. Roedd yn rhaid iddo edmygu'i frawd am ymateb mor sydyn a chadw'i feic rhag cwympo yr un pryd. Doedd o erioed wedi dychmygu fod ei frawd yn feiciwr mor dda.

Yn y man, aeth heibio i Yncl Cled a safai mewn man cyfleus er mwyn rhoi unrhyw wybodaeth am y ras i Gareth. Go brin y byddai ei ewythr wedi sylwi ar Siôn ar gefn y Kawasaki, a da hynny hwyrach ac yntau mor bell ar ôl!

Wedi iddo droi dwy gornel igam-ogam yn llwyddiannus, ac yntau ar fin gwasgu'r throtl am y goriwaered, fe ddaeth y ras i ben yn sydyn ac yn annisgwyl cyn belled ag yr oedd Siôn yn y cwestiwn. Wrth iddo neidio dros y gefnen, aeth ar draws dau feic a oedd wedi disgyn yn blith draphlith ar draws y trac. Roedd y ddau yrrwr wedi llwyddo i godi ar eu traed ac ar y pryd yn ffraeo'n gaclwm â'i gilydd tra oedd y swyddog druan yn ceisio eu gwahanu. Roedd y tâp oedd yn nodi ochr dde y trac wedi'i symud o'r neilltu ac felly tybiodd Siôn fod yn rhaid iddo droi i'r dde i osgoi'r ddau feic.

'Dyna ti! Rwyt ti'n iawn!' gwaeddodd y swyddog wrth iddo synhwyro ansicrwydd Siôn. 'I'r dde . . . i'r dde . . !' Pwyntiodd ei faner tuag at giât gyfagos yn y gwrych ac ufuddhaodd Siôn yn syth. Fel pob aelod arall o'r clwb, roedd o wedi hen arfer ag ufuddhau i orchmynion y swyddogion, a'r rheiny bob amser yn gydwybodol iawn ynglŷn â'r diogelwch ar y trac.

Fe sylweddolodd bron yn syth ei fod wedi cymryd y tro anghywir ac yn amlwg wedi camddeall gorchmynion y swyddog yn llwyr. Yn awr, doedd ganddo fawr o ddewis ond gyrru'r beic yn ei flaen dros wyneb anwastad y cae lle na fu'r un beic o'i flaen. Yna cofiodd yn sydyn beth oedd y tu draw i'r cae hwn— yr hen chwarel a'r ceudwll du—ac yntau'n awr yn rhuthro fel cath wyllt tuag ato! Doedd dim amser i'w golli, rhaid oedd troi'n ôl!

Breciodd Siôn mor galed ag y gallai. Llithrodd yr olwyn oddi tano ar y glaswellt llaith, a'r tro hwn methodd ag aros ar gefn y beic. Fe'i taflwyd fel darn o glwt gwlyb i ganol perth o eithin gerllaw a stopiodd injan y beic yn syth.

Am ychydig eiliadau, gorweddodd Siôn yn llonydd. Wrth lwc, cafodd ei arbed rhag yr eithin pigog gan y dillad beicio trwchus. Edrychodd eto ar y beic gan obeithio nad oedd ddim gwaeth. Erbyn hyn, roedd yr olwyn ôl wedi stopio troi a sylwodd Siôn yn sydyn fod y teiar mor llyfn â phen-ôl babi bach! Dim rhyfedd i'r beic fethu dringo'r allt!

Fe ddylai Rhodri neu ei dad fod wedi newid y teiar erstalwm!

Y foment honno, cyrhaeddodd swyddog tuag ato o un cyfeiriad a Mr Huws o'r cyfeiriad arall.

'Doeddet ti ddim i fod i ddod y ffordd yma, y ffŵl gwirion!' gwaeddodd y swyddog wedi cyffroi'n lân. 'Ro'n i'n ceisio dy gyfeirio di heibio'r ddau feic 'na! Be ddaeth dros dy ben di?'

'Ond roedd rhywun wedi symud y tâp ar ochr y trac,' eglurodd Siôn wrth geisio'i ryddhau ei hun o ganol yr eithin. 'Ac ro'n i'n meddwl eich bod chi'n fy nghyfeirio i drwy'r giât!'

'Wel, do . . . dwi'n cyfaddef nad oedd pethau'n glir iawn . . .' meddai'r swyddog gan ostwng ei lais ychydig. 'Ond beiciwr profiadol fel ti! Fe ddylet ti fod wedi sylweddoli. Mi aeth pawb arall y ffordd iawn! Beth bynnag, dwyt ti ddim wedi brifo, gobeithio?'

Ysgydwodd Siôn ei ben, ac wedi bodloni ei hunan fod pob dim yn iawn aeth y swyddog yn ei ôl.

'Hen dro, 'ngwas i,' gwenodd Mr Huws. Roedd Rhodri unwaith eto yn hongian dros ei ysgwydd. 'Gobeithio na ddaru'r beic mo dy siomi di.'

Doedd Siôn ddim yn siŵr sut i'w ateb.

Wedi'r cwbl, roedd Rhodri wedi bod yn ddigon caredig i fenthyg beic iddo a hwyrach, petai'n dweud wrtho am y teiar, y byddai'n brifo'i deimladau.

'Ym . . . na . . . mi aeth yn eitha da a chysidro nad o'n i 'rioed wedi'i reidio fo o'r blaen,' meddai Siôn gan wneud ymdrech deg i wenu. 'Fi wnaeth gamgymeriad bach.'

Cododd Siôn y beic yn araf. Roedd ei ysgwydd, ar ôl yr ail godwm, yn brifo'n waeth rŵan. Wedi archwilio'r beic ni allai weld dim o'i le, er mawr ryddhad iddo.

'Mi a' i â fo'n ôl i'r maes parcio i chi, ie?' meddai. 'Tydi hi ddim gwerth mynd yn ôl i'r ras rŵan.'

'Iawn, 'ngwas i,' cytunodd Mr Huws. 'Mae'n ddrwg gen i na ddaru pethau ddim gweithio allan yn well i ti. Ond, o leia, mi gest ti gymryd rhan yn y ras, on'd do?'

Yna, am y tro cyntaf ers iddyn nhw gyrraedd, dechreuodd Rhodri siarad.

'Doeddwn i ddim yn disgwyl i ti wneud ddim gwell na hynna beth bynnag,' meddai'n ddidaro. 'Ddim efo teiar ôl heb unrhyw afael ynddo. Ro'n i'n gwybod erstalwm fod angen ei newid, ond ches i ddim cyfle.'

Rhythodd Siôn arno, a bu ond y dim iddo ddweud rhywbeth digon brathog. Ond fe lwyddodd rywsut i ddal ei dafod.

Pennod 5

Taflai haul y bore ei belydrau fel grisial dros y wlad wrth i Siôn redeg ar hyd y llwybr gyda'r afon. Er mor braf oedd hi, teimlai oerfel y bore'n treiddio trwy ei ddillad tenau. Roedd o'n difaru nawr na fuasai wedi gwisgo'i dracsiwt yn lle'r crys-T a'r trowsus byr, tenau. Ond dyna fo, unwaith y byddai wedi cyrraedd y llwybr loncian yn y parc, fyddai o fawr o dro yn magu gwres.

Roedd rhedeg yn gynnar yn y bore yn rhan o'i ymdrech i wella'i stamina a chryfhau'i gyhyrau. Darllenodd mewn rhyw gylchgrawn neu'i gilydd fod yn rhaid i rywun fod yn ffit yn gorfforol os oedd am fod yn yrrwr beic modur llwyddiannus. Nid yn unig roedd rhedeg yn gwneud lles i'r ysgyfaint ond roedd hefyd yn cryfhau'r coesau. Ac fe wyddai Siôn, wrth gwrs, fod yn rhaid cael coesau cryfion wrth sgramblo i fyny rhiwiau serth a thros lwybrau anwastad. Yn ogystal â hyn byddai Siôn yn ymarfer gyda phwysau ac offer tebyg yn y gampfa yn y Ganolfan Hamdden newydd. Ond roedd yn mwynhau rhedeg yn yr awyr agored yn fwy na dim.

Wrth gwrs, chwerthin am ben ei frawd bach y byddai Gareth bob tro y gwelai o'n mynd allan i ymarfer. Yn ôl Gags, nid gwella ffitrwydd corfforol oedd ei angen i fod ar y blaen ymhob ras ond perffeithio'r sgiliau reidio. A bellach, roedd ganddo bwynt! Llwyddodd Gags i ddod yn ail i Llion Mathews, o bawb, yn y ras na wnaeth Siôn hyd yn oed ei gorffen. Ac wedi iddo ennill un o'r tair ras arall aeth Gags o gwmpas yr ysgol yn brolio wrth bawb cystal beiciwr oedd o, er na soniodd yr un gair mai'r rheswm iddo ennill honno oedd i gadwyn beic Llion ddigwydd torri! Ond fel gwobr am ennill y ras, addawodd Yncl Cled fynd â Gags am ddiwrnod o bysgota ar y môr. Wrth gwrs, roedd Gags wrth ei fodd ac wedi cyhoeddi wrth bawb y byddai'n siŵr o ddod 'nôl â'r pysgodyn mwyaf welodd neb erioed!

Ni chafodd Siôn wahoddiad i fynd ar y trip pysgota, ac ni ddisgwyliai gael un chwaith. Ond chwarae teg i Yncl Cled, ni fu'n rhy gas wrtho am golli'r beic. Wrth lwc, roedd o wedi'i yswirio ac fe gâi ei ewythr ei bres yn ôl. Ond doedd hynny'n fawr o gysur i Siôn.

'Mi fydd hi'n rheitiach i ti chwilio bob twll a chornel am y beic 'na heddiw,' oedd yr unig beth a ddywedodd ei Yncl Cled wrtho. Nid atebodd Siôn, dim ond nodio'i ben. Be oedd yr ots ganddo fo os na châi fynd i bysgota, beth bynnag? Roedd digon o bysgod yn Siop Sgod a Sglod y Badell Arian ac roedden nhw'n llawer mwy blasus gyda thropyn o finegr.

Wedi cyrraedd y parc, prysurodd Siôn ar hyd y llwybr loncian. Cafodd y llwybr hwn ei baratoi'n arbennig ar gyfer loncwyr a phobl eraill oedd eisiau colli pwysau a chadw'n heini. Yma a thraw ar hyd y llwybr fe osodwyd nifer o rwystrau a chamfeydd pwrpasol. Ni châi Siôn fawr o drafferth mynd dros y rhain, ond byddai wrth ei fodd yn gwylio rhai o'r loncwyr eraill yn bustachu. Deuai amryw o ddynion canol oed i redeg yn y parc yn gynnar yn y bore—rhai ohonyn nhw â'u boliau fel barilau'n hongian dros ei trowsusau bach! Roedd gwylio'r rhain yn ceisio mynd dros rai o'r rhwystrau'n well nag unrhyw raglen gomedi ar y teledu!

Wedi iddo redeg ddwywaith o amgylch y parc, eisteddodd Siôn i gael ei wynt ato. Teimlodd ei goesau'n ofalus i weld a oedd ei gyhyrau'n dechrau chwyddo a chaledu fel y dylent. Ond na, roedd ei goesau mor denau ag erioed. Ac eto, fe deimlai'n llawer cryfach a doedd ei gyhyrau ddim yn brifo ar ôl rhedeg fel y gwnaent erstalwm.

Wedi dadflino ychydig, aeth Siôn at y ffrâm bren gerllaw. Bachodd ei draed o dan un o'r bariau ac yna aeth ati i godi a gostwng ei gorff bob yn ail.

'Mawredd mawr! Am bâr o goesau tenau!

Mae gan y pry copyn yn y bàth adre well coesau na rheina!'

Syrthiodd Siôn fel sachaid o datws ar y llawr caled wrth glywed y llais cyfarwydd yn gwneud y fath hwyl am ei ben. Cododd ar ei draed yn llawn cywilydd, a rhythu'n filain ar ei gyfnither oedd yn sefyll gerllaw yn chwerthin lond ei bol.

'Be aflwydd wyt ti'n wneud yn y parc yr amser yma o'r bore?' gofynnodd iddi. 'A sut oeddet ti'n gwybod 'mod i yma?'

'Mae gen i gystal hawl â tithau i ddod i'r parc, cofia! A pham wyt ti'n meddwl mai dod yma i dy weld di wnes i?'

'Paid â phalu celwyddau, Leri!' meddai Siôn, yn teimlo'n lletchwith wrth gael ei ddal fel hyn yn y parc a hynny gan ei gyfnither o bawb. 'Mae 'na rywbeth wedi digwydd, on'd oes? Dwi'n gwybod ar dy wyneb di! Be sy?'

'Siôn, mae gen i newyddion i ti. A hwyrach ei fod o'n newyddion da!' meddai Eleri ar ôl iddi lwyddo i stopio chwerthin. 'Yli, paid â disgwyl pethau mawr, ond mae 'na bosibilrwydd ein bod ni wedi dod o hyd i dy foto-beic di. Wel, o leiaf mae rhywun yn meddwl ei bod hi wedi'i weld o.'

'Pwy? Ond ble? Gan bwy mae o? Allwn ni fynd i'w nôl o rŵan? Leri, mae hyn yn ffantastig!'

'Siôn, Siôn, dal dy ddŵr am ychydig, wnei

di! Mae hi'n bosib nad dy feic di ydi o. Mae'n rhaid i ni wneud yn siŵr o hynny i ddechrau, a tydi hynny ddim yn mynd i fod yn hawdd!'

'Leri! Paid â 'nghadw i ar bigau'r drain fel hyn! Hwn ydi'r newyddion gorau dwi wedi'i gael ers blynyddoedd!'

'Tydw i ddim isio i ti godi dy obeithion yn rhy fuan. Felly callia ychydig, da ti, a gwranda,' rhybuddiodd Eleri. 'Dyma be dwi'n ei wybod, iawn? Ro'n i'n digwydd sôn amdanat ti wrth Heledd, ffrind i mi yn yr ysgol, ac amdanat ti'n colli dy feic. A dyma hi'n dweud fod yna gymydog iddyn nhw wedi bod yn reidio moto-beic sgramblo newydd o gwmpas ei ffarm ers dyddiau. Merch ffarm ydi Heledd, ti'n gweld, yn byw draw yn Nyffryn Llynwen, ac mae'r bachgen 'ma sy'n byw yn y ffarm drws nesa yn dipyn o hogyn gwyllt. Gwilym Harris ydi'i enw fo, ond Gwil Gwallgo mae pawb yn ei alw fo. Mae o dipyn yn hŷn na ni—tua deunaw oed. Ond, yn ôl Heledd, rhyw bwtyn byr ydi o a dyna sut mae o'n gallu reidio'r beic sgramblo 'ma. Mae'n ei ddefnyddio fo i fynd o amgylch y defaid a'r ŵyn sawl gwaith y diwrnod. Dyna sut mae Heledd wedi'i weld o.'

'Be? Rhag ei gywilydd! Defnyddio fy meic i, y beic rasio gorau yn y wlad 'ma, i fynd o amgylch rhyw hen ddefaid ac ŵyn budron!'

Gwenodd Eleri. 'Wel ie, *os* mai dy feic di

54

ydi o! A dyna pam wnes i ofyn i Heledd edrych be oedd lliw a gwneuthuriad y beic, a thybed fuasai Gwil Gwallgo'n fodlon dweud o ble y cafodd o'r beic. Mi ffoniodd Heledd fi'n ôl neithiwr. Rŵan, dal d'afael . . . ie, beic gwyrdd ac arian ydi o, heb amheuaeth, a'r un gwneuthuriad â d'un di ac yn 100cc. Ond mae Gwil Gwallgo'n gwrthod dweud gair ynglŷn â sut cafodd o afael ar y beic. Mae'n amlwg ei fod o'n ceisio cuddio rhywbeth! A dyna'r hanes i ti, Siôn.'

'Bendigedig, Ler! Gwych! Mae'n anodd coelio'r peth! Cofia, do'n i ddim wedi anobeithio'n llwyr—ond ar ôl yr holl amser a dim newyddion . . . wel, mi fuasai unrhyw un yn dechrau torri'i galon, yn basa? Dwyt ti ddim wedi dweud wrth neb arall, gobeithio?'

'Naddo, siŵr,' atebodd Eleri ychydig yn bigog. 'Dy feic di ydi o, gobeithio, a ti ddylai fod y cyntaf i gael gwybod. Mi fuaswn i wedi dy ffonio di neithiwr ond roedd hi'n rhy hwyr.'

'Dwi'n falch nad wyt ti wedi dweud wrth neb arall. Mi allwn ni fynd i nôl y beic ein hunain rŵan, heb i neb fod ddim callach. Os mai cymryd fy meic i'n slei bach wnaeth y Gwil Gwallgo 'ma, yna mi gymera i o'n ôl yr un mor slei! Dant am ddant . . ! Mae hynny'n ddigon teg, yn tydi?'

'Aros funud, wnei di Siôn! Rwyt ti wedi anghofio un peth pwysig iawn.'

'Be?' Edrychodd Siôn mewn penbleth ar ei gyfnither.

'Cyn y gallwn ni wneud dim byd, mae'n rhaid i ni wneud yn hollol siŵr yn gyntaf mai dy feic di sy gan Gwilym Harris.'

Eisteddodd Siôn ar ochr y llwybr a dechrau meddwl o ddifrif. Rhoddodd Eleri, hithau, ei beic i bwyso ar y goeden gerllaw a daeth i eistedd wrth ei ochr. Roedd un peth wedi ei phlesio'n arw—tybiodd yn siŵr iddi ei glywed o'n dweud y gair 'ni' pan soniodd am fynd i chwilio am y beic. Roedd yn amlwg ei fod am ei chynnwys hi yn ei gynllun i gael ei feic yn ôl.

Bu'r ddau'n sgwrsio a chynllunio am gryn amser a Siôn yn dal i holi a stilio ynghylch y fferm a Gwilym Harris.

'Wel, mi fydd yn rhaid i ni fynd i weld y beic cyn gynted ag y gallwn ni,' meddai o'r diwedd wrth iddo godi ar ei draed. 'Mae hynny'n golygu heno, yn syth ar ôl te! Alli di ddod, Leri?'

'Wrth gwrs y galla i!' atebodd Eleri gan geisio anghofio am y prawf gwyddoniaeth yr oedd i fod i'w gopïo fel gwaith cartref. 'Mi allwn ni fynd yn go agos at y ffarm ar gefn ein beiciau, yn ôl Heledd. Ond mi fydd yn rhaid i ni fod yn ofalus iawn rhag i neb ein gweld ni.'

'Ti'n iawn,' meddai Siôn yn frwdfrydig. 'Mi fydd yn rhaid i ni wisgo dillad tywyll, felly. Oes gen ti bâr o sbenglas, Leri?'

'Oes,' nodiodd Eleri. 'Wel, un Dad. Mae o'n ei ddefnyddio i wylio adar y môr pan fydd o'n mynd i bysgota. Wel, dyna be mae o'n ddweud, o leiaf!'

'Grêt! Mi wnawn ni gyfarfod wrth yr eglwys am hanner awr wedi chwech. Iawn? Dwn i ddim sut dwi'n mynd i aros tan hynny, chwaith . . .'

'Meddylia—erbyn heno, gobeithio, mi gei di weld dy foto-beic unwaith eto. Mae'n werth aros, yn tydi?' Gwasgodd Eleri ei fraich, cyn neidio ar gefn ei beic a phedlo'n frwd tuag at fynedfa'r parc.

Pennod 6

Bu Siôn ar bigau'r drain drwy'r dydd yn yr ysgol ac ni allai yn ei fyw â chanolbwyntio ar ei wersi o gwbl. Y cyfan oedd ar ei feddwl oedd cael gweld ei feic modur annwyl unwaith eto!

Amser te, aeth ei nerfusrwydd a'i gynnwrf ag ef i drwbl. Wrth godi oddi wrth y bwrdd, a hynny ar frys er mwyn cael mynd i'r llofft i newid, baglodd ar draws coes y gadair. Disgynnodd honno a tharo'r bwrdd gan beri i'r ddysgl fenyn a'r jŵg llaeth syrthio'n deilchion ar lawr.

'Be ar y ddaear sy'n bod arnat ti heddiw, Siôn?' gwaeddodd ei fam, gan ruthro i'r gegin wrth glywed y fath dwrw. Dyna lle roedd Siôn ar ei benliniau'n ceisio casglu'r darnau llestri a chrafu'r menyn oddi ar y llawr yr un pryd. 'Gad lonydd i bethau, da ti! Rwyt ti fel gafr ar daranau!' meddai, gan wthio'i mab ieuengaf o'r ffordd.

'Mae'n ddrwg gen i, Mam, ond dwi ar frys, 'dach chi'n gweld. Isio cyfarfod Leri am hanner awr wedi chwech a fedra i ddim bod yn hwyr!'

'Lle 'dach chi'n mynd, felly?' gofynnodd ei fam.

'Mae hi'n noson mor braf, roedden ni'n

58

meddwl mynd ar gefn ein beiciau draw i ben Mynydd Pengam.'

'Syniad da. Mi wnaiff les i'r ddau ohonoch chi gael mynd oddi wrth sŵn y moto-beics felltith 'na, wir. Ond paid â bod yn hwyr yn dod yn ôl, a chofiwch gadw'n ddigon pell o faes tanio'r fyddin.'

Roedd Mrs Parri'n falch iawn fod Siôn ac Eleri'n gymaint o ffrindiau. Ar brydiau, roedd ganddi drueni dros ei nith—yn unig ferch yn byw yng nghanol yr holl fechgyn ac amryw o'r rheini, fel Gags, yn casáu merched.

Am hanner awr wedi chwech union, cyrhaeddodd Siôn Eglwys Sant Cynfil ond roedd Eleri yno'n barod yn disgwyl amdano. Gwisgai siwmper borffor lliw'r grug, a chap gwau cynnes am ei phen.

'Edrycha be sy gen i!' meddai gan wenu'n llydan wrth iddi dynnu sbienddrych mawr o fag ei beic.

'Gwych!' atebodd Siôn. 'Ac mi ges innau afael ar hon ar ôl yr ysgol heno.'

Tynnodd siaced guddliw allan o dan ei siwmper. 'Ei chael hi gan Huw Arwel wnes i. Un ei frawd ydi hi—newydd adael y fyddin, ti'n gweld. Os wnaiff rhywun ein gweld ni heno, cofia mai milwr o'r gwersyll ar ei noson rydd ydw i a ti ydi 'nghariad i.'

'Ŵ! Am ramantus! Dau gariad ar ben mynydd yng ngolau'r lloer!'

'Paid a mwydro, wnei di! Tyrd, mae'n well i ni frysio,' meddai Siôn, yn ymwybodol iawn ei fod yn cochi at ei glustiau. 'Gorau po gynta y cyrhaeddwn ni ffarm y Gwil Harris 'na.'

Wrth i'r ddau bedlo'n frwd heibio i'r eglwys a thŷ Miss Winnie Preis, cododd Siôn ei ddwrn ar y bwthyn di-baent. Heblaw amdani hi a'r mul felltith 'na, fuasai Gwil Gwallgo na neb arall ddim wedi cael cyfle i *gyffwrdd* â'i foto-beic, hyd yn oed, heb sôn am ei ddwyn!

Bu'r ddau'n seiclo am ryw dair milltir ar hyd y ffordd fawr cyn iddynt droi i'r chwith, ac wedyn dilyn ffordd gulach oedd yn arwain i fyny Cwm Nant yr Iwrch. Ymhen milltir a hanner, fe gyrhaeddon nhw flaen y cwm a bu'n rhaid gwthio'r beiciau i fyny'r allt serth tuag at y mynydd. A buasai Siôn wedi rhoi unrhyw beth am gael ei foto-beic yn ôl ar y foment honno. Wedi cyrraedd pen yr allt, ymdroellai'r ffordd fynydd yn igam-ogam o'u blaenau fel ffrwd fudr drwy'r grug. O boptu iddi roedd maes tanio'r fyddin a'r rhybuddion coch a gwyn yn britho'r mynydd. Doedd wiw i neb droedio heibio i'r pyst ffin, yn enwedig pan fyddai'r faner goch yn chwifio. Golygai hynny fod y fyddin yn ymarfer saethu!

Wedi croesi'r mynydd, daeth Siôn ac Eleri i olwg Dyffryn Llynwen ac roedd ei gaeau a'i wrychoedd yn batrwm amryliw wedi llymder y mynydd. Yma a thraw yng nghanol y patrwm, fel madarch y bore, ymddangosai ambell fferm gyda'u hadeiladau o gerrig llwyd a'u siediau enfawr gwyn a gwyrdd yn gyfochrog â'i gilydd.

'Dacw Bodnant Bach, cartref Heledd,' meddai Eleri yn y man, wedi i'r ddau ddod i lawr o'r mynydd a nesáu at un o'r ffermydd ym mhen y dyffryn. 'Felly, mae'n rhaid fod Gwilym Harris yn byw yn y ffarm acw ar ei chyfer—honna efo'r sièd werdd. Dyna Cefn Esgair.'

'Diolch byth ein bod ni wedi cyrraedd! Wnes i 'rioed ddychmygu bod Dyffryn Llynwen mor bell,' meddai Siôn, wedi colli'i wynt yn llwyr.

Aeth y ddau i orwedd ar fryncyn bychan a wynebai Cefn Esgair. Rhywle yn y pellter, tybiai Siôn iddo glywed sŵn cyfarwydd iawn—sŵn ei feic modur!

Gafaelodd Siôn yn y sbienddrych gan ei bwyntio at un o'r caeau o ble deuai'r sŵn. Yna, drwy'r giât yn y gwrych, daeth beic modur gwyrdd ac arian i'r golwg, a bachgen tew, byrgoes ar ei gefn. Dim ond ychydig eiliadau oedd ar Siôn eu hangen i adnabod ei feic modur. Heb os nac oni bai, hwn oedd o— er bod Gwil Harris wedi tynnu'r platiau rhif gyda'i rif personol mewn gwyn ar gefndir glas oddi ar y beic.

Roedd Siôn yn berwi eisiau neidio ar ei draed a gweiddi 'Hwrê!' dros y wlad, ond llwyddodd i gadw'n dawel.

'Hwnna ydi o?' gofynnodd Eleri wrth weld ei chefnder wedi cyffroi.

'Ie, hwnna ydi o'n sicr. Pob sgriw a nytan ohono fo!' Heb iddo sylweddoli, bron, gafaelodd Siôn am ei gyfnither gan ei gwasgu'n dynn. 'Ti'n werth y byd, Leri—' meddai, gan wrido'n sydyn ar ôl sylweddoli beth yr oedd newydd ei wneud.

'Ond pam mae o'n mynd mor araf, 'te?' sibrydodd Eleri gan symud yn glir o afael Siôn.

Gan fod Siôn wedi bod mor brysur yn archwilio pob modfedd o'r beic, doedd o ddim wedi cymryd gormod o sylw o Gwil Harris a pha mor araf roedd o'n mynd ar gefn y beic.

'Oen,' meddai, wedi iddo ailosod y sbienddrych o flaen ei lygaid. 'Mae ganddo fo oen bach o dan ei gesail.'

'Oen llywaeth, mae'n siŵr,' meddai Eleri'n wybodus i gyd. 'Mynd â fo adre i'w gynhesu o flaen y tân.'

'Oen be?'

'Oen llywaeth. Oen a'i fam o wedi marw,' eglurodd Eleri gan ryfeddu at anwybodaeth ei chefnder.

'O,' oedd unig ymateb Siôn, wrth wylio'i feic yn ofalus.

Yn y man, fe drodd y beic modur drwy'r llidiart i fuarth y fferm ac i mewn i'r ysgubor. Ymhen ychydig amser wedyn, daeth Gwilym Harris allan, a'r oen bach yn dal o dan ei gesail, ac anelodd am ddrws y tŷ.

'Be ddwedes i wrthot ti?' meddai Eleri'n bwysig i gyd. 'Mi gaiff yr oen bach 'na gysgu mewn bocs o flaen y tân heno.'

Ond dim ond y beic modur yn sefyll yn yr ysgubor oedd ar feddwl Siôn, a phob math o syniadau'n gwibio trwy ei feddwl ar sut i'w gael oddi yno. Gorweddodd y ddau'n dawel ar y glaswellt am tua chwarter awr gan wylio pob modfedd o'r buarth. Ond er aros cyhyd, ni ddaeth neb allan o'r tŷ ac ni welwyd neb arall o gwmpas chwaith, heblaw rhyw hen gi defaid a gerddai'n gloff yn ôl a blaen.

'Leri,' meddai Siôn ymhen ychydig wrth godi ar ei eistedd. 'Beth am i ni fynd i lawr yno rŵan, bachu'r moto-beic a mynd am adre reit sydyn?'

'Dwyt ti ddim o ddifri, Siôn?' Edrychodd Eleri'n syn ar ei chefnder gan ryfeddu at ei gynllun byrbwyll. 'I be mae'r heddlu'n dda . . ?'

'Os dwedwn ni wrth yr heddlu, mi fyddan nhw isio cadw'r beic am fisoedd lawer fel tystiolaeth pan ddaw Gwil Harris o flaen ei well. Na, dwi ddim isio i Sarjant Thomas wybod am hyn. Mae'n rhywbeth y mae'n rhaid i ni'n dau ei wneud . . .'

'Ond Siôn, does gynnon ni ddim prawf pendant mai hwnna ydi dy feic di, er ei fod o'n edrych yn andros o debyg. Mae isio edrych yn ofalus ar rif yr injan, ac ar y rhif cod o dan y sêt a'r tanc petrol, ac mae'n rhaid cael amser i wneud hynny.'

'Ond pam na allwn ni wneud popeth heno, a ninnau wedi dod yr holl ffordd?'

Ochneidiodd Eleri a daeth yn ôl i eistedd wrth ochr Siôn.

'Mae 'na sawl rheswm,' meddai'n bwyllog. 'Un: mi fydd hi'n dywyll yn fuan ac alli di ddim reidio'r beic yna'n ôl i Langynfil yn y tywyllwch. Dau: pwy sy'n mynd i ddod â'r ddau feic yma adre? Tri: mae Gwil Gwallgo a'i deulu'n dal ar eu traed ac mi allan nhw ddod allan o'r tŷ yna unrhyw eiliad. Petaen ni'n cael ein dal, mi fuasen nhw'n meddwl mai lladron yden ni, ac yn ôl Heledd mi all Gwil Harris fod yn andros o fachgen milain. A pheth arall, dwi wedi gorfod codi efo'r wawr y bore 'ma o dy achos di, a rŵan, dwi'n barod i fynd i 'ngwely . . !'

A bod yn onest, felly y teimlai Siôn hefyd ond doedd o ddim am gyfaddef hynny. Gwyddai ei hun nad oedd ei gynllun yn dal dŵr o gwbl.

'Wel, be wyt ti'n gynnig, 'te? A chofia, dwi isio'r beic 'na'n ôl cyn gynted ag sy'n bosib. Mae gen i lawer o waith ymarfer os ydw i am gael fy newis ar gyfer tîm Pencampwriaeth y Clybiau.'

'Dwi'n gwybod hynny! Ond mae gen i syniad. Yn ein gwersi Hanes rydan ni wedi bod yn sôn yn ddiweddar sut y byddai'r byddinoedd erstalwm yn ymosod ar eu gelynion yn gynnar yn y bore, pan nad oedd neb yn eu disgwyl. Mi allwn ninnau wneud yr un peth. Mynd draw i Gefn Esgair ar doriad y wawr cyn y bydd neb wedi codi. A dwi'n siŵr y gwnaiff Heledd ein helpu achos rydan ni angen gwybod ble yn union yn y sgubor mae'r beic yn cael ei gadw, ac a ydyn nhw'n cloi'r drws neu beidio dros nos. Ti'n cytuno?'

Roedd Siôn wedi blino gormod i feddwl am syniad gwell.

'Grêt!' meddai gan geisio swnio'n frwdfrydig. 'Mi wnawn ni drafod y manylion fory. Tyrd, mae'n well i ni fynd adre cyn iddi nosi.'

Erbyn iddyn nhw gyrraedd Llangynfil, roedd y ddau bron â bod wedi blino gormod i ddweud nos da wrth ei gilydd. Ond er i Siôn fynd ar ei union i'w wely, roedd o'n methu'n glir â chysgu. Roedd yn dyheu am gael reidio'i feic modur unwaith eto.

Ni chroesodd ei feddwl y gallai pethau fynd o chwith . . .

Pennod 7

Ar doriad gwawr, ddau ddiwrnod yn ddiweddarach, fe gyrhaeddodd Siôn ac Eleri yn Bodnant Bach, cartref Heledd.

'Dacw Heledd yn ffenest ei llofft,' sibrydodd Eleri wrth i'r ddau fynd ar eu cwrcwd y tu ôl i'r wal gerrig.

Sylwodd Siôn ar y ferch dal, wallt tywyll, yn sefyll yn ei gŵn nos o flaen y ffenestr. Wedi iddi godi'i llaw ar Eleri, meimiodd rywun yn cysgu, gan bwyntio'i bawd dros ei hysgwydd.

'Mae'n rhaid fod ei chwaer yn cysgu yn yr un llofft â hi,' eglurodd Eleri. 'Biti! Roedd hi wedi addo gwneud paned boeth i ni cyn i ni fynd i ffarm Gwil Gwallgo—mi allwn i wneud â phaned hefyd!'

'Paned, wir!' ebychodd Siôn yn ddiamynedd. 'Does dim amser i feddwl am bethau fel'na rŵan. Mi fydd yn rhaid i ni frysio am Gefn Esgair cyn y bydd yr haul 'ma'n dechrau dangos popeth.'

'Iawn,' cytunodd Eleri gan roi arwydd â'i breichiau i Heledd anghofio am y baned ac i fynd yn ôl i'w gwely rhag ofn iddi ddeffro'i chwaer. 'Mae'n well i ni fynd â'r beics yma i'w cadw yn yr hen gwt golchi.'

Syniad Heledd oedd iddyn nhw adael eu beiciau yn Bodnant Bach. Addawodd y bydden nhw'n ddigon diogel yno hyd nes y deuai rhywun i'w nôl nhw. Roedd cynnig Heledd wedi datrys ambell broblem wrth iddyn nhw baratoi eu cynlluniau i gael y beic modur yn ôl. Yr unig broblem fawr arall oedd sut i ddeffro cyn toriad y wawr! Rhywsut, fe gafodd y ddau afael ar hen glociau larwm, er na ddefnyddiodd Siôn ei un ef o gwbl gan na chysgodd yr un winc y noson cynt.

Yn y cyfamser, bu Heledd yn holi hwn a'r llall ac fe gafodd wybod fod Gwil Gwallgo'n honni iddo ddod o hyd i'r beic modur un noson wrth iddo adael Tafarn y Mynach Du ar ôl bod mewn parti yno. Cyn belled ag yr oedd ef yn y cwestiwn, roedd rhywun wedi bod yn ddigon gwirion i adael y beic ar ôl ac felly y fo oedd pia fo bellach!

Pan glywodd Siôn hyn, roedd yn gynddeiriog ac yn barod i lindagu Gwil Gwallgo yn y fan a'r lle! Roedd un peth yn sicr—hen lwynog cyfrwys oedd Gwil Harris ac mae'n bur debyg y byddai wedi gwadu pob dim petai'r heddlu wedi mynd i'w weld.

Wrth i'r ddau adael Bodnant Bach, teimlai Eleri'r cyffro yn dechrau chwyrlïo yn ei stumog a thynhaodd ei gafael yn strapiau'r bag cynfas oedd ar ei chefn. Roedd hi wedi gofalu llenwi'r bag â phob math o offer defnyddiol—roedd hi hyd yn oed wedi meddwl am ddod â photel blastig yn llawn o betrol rhag ofn bod tanc y moto-beic yn wag a hwythau ar fin dianc.

Gwisgai'r ddau eu dillad cuddliw unwaith eto, ac er i Eleri wisgo dwy siwmper roedd hi'n dal yn teimlo oerfel y bore yn treiddio trwy'r cyfan. Hyd yn hyn, roedd popeth wedi mynd yn ddidrafferth a dechreuodd calon Siôn guro'n gyflym wrth iddo sylweddoli y byddai'n ôl gyda'i feic yn fuan.

Roedd y wlad i gyd mor dawel â mynwent yng nghanol nos wrth iddyn nhw nesáu at Gefn Esgair. Cerddodd y ddau yn eu dyblau gyda'r wal gerrig oedd yn eu cuddio rhag i neb yn y tŷ fferm eu gweld. Sylwodd Eleri fod y llenni'n dal ar gau—doedd neb wedi codi, felly.

Wedi iddyn nhw gyrraedd llidiart y buarth, trodd Siôn at Eleri.

'Pob lwc!' sibrydodd. Fe wyddai Eleri i'r dim beth i'w wneud. Hi oedd i fod yn gyfrifol am gadw Bob, yr hen gi, yn dawel. Byddai un cyfarthiad gan hwnnw'n ddigon i ddeffro pawb yn y fro!

Fel arfer, roedd Eleri wedi paratoi'n ofalus o flaen llaw. Aeth i'w bag a thynnu llond dwrn o fisgedi cŵn blasus allan ohono. Roedd Heledd wedi gwneud ei gwaith cartref ac wedi deall mai ci ffeind iawn oedd Bob ac yn barod i wneud ffrindiau ag unrhyw berson dieithr—cyn belled â bod ganddyn nhw ddigonedd o ddanteithion i'w cynnig iddo. Roedd Heledd hyd yn oed wedi holi pa fath o fisgedi oedd ei ffefryn. Am fod Bob, bellach, yn bur hen a chloff, roedd yn cael cysgu yn y sgubor bob nos, ac am nad oedd yn gi am grwydro, ni fyddai neb yn cau'r drws arno. Y bore hwn, roedd Eleri yn ddiolchgar dros ben mai ci felly oedd Bob.

Pan wthiodd Eleri ddrws yr hen sgubor yn agored, dechreuodd hwnnw wichian dros bob man a rhedodd ias oer i lawr ei chefn. Galwodd yn dawel ar Bob, a'r eiliad nesaf teimlodd ei ffroen wlyb yn gwthio i'w llaw, yn amlwg wedi arogli'r bisgedi.

'Dyma ti, Bob. Dyma ti,' mwmiodd Eleri, gan anwesu'r ci'n ysgafn. 'Mi rwyt ti wrth dy fodd efo'r bisgedi 'ma, yn dwyt ti? A diolch byth am hynny!'

Cerddodd Eleri'n ofalus i mewn i'r sgubor a'r hen gi yn dynn wrth ei sodlau. Roedd hi wedi gofalu dod â fflachlamp, a goleuodd hi rŵan er mwyn dod o hyd i'r beic modur. Ni fu fawr o dro nes gweld ei siâp o dan hen flanced drwchus ym mhen pella'r sgubor. Aeth hi ddim yn agosach ato—gwaith Siôn oedd archwilio'r beic.

Yn ôl ar y buarth, rhoddodd arwydd i'w chefnder fod popeth yn iawn.

'Hwyrach nad oedd raid i ni ddod yma mor

fuan,' meddai wrth gymryd y fflachlamp oddi ar Eleri. 'Does dim golwg fod neb yn codi'n gynnar iawn yma!'

Aeth i mewn i'r sgubor tra oedd Eleri'n cadw llygad. Roedd y ddau wedi penderfynu peidio â thanio'r beic modur ar y buarth oni bai bod rhywun yn eu gweld. Y cynllun oedd gwthio'r beic yn ddigon pell i ffwrdd cyn ei danio a'i reidio.

Er mawr ryddhad i Siôn, sylwodd fod y beic mewn cyflwr perffaith. Os rhywbeth, roedd yn llawer glanach nag y bu erioed gan Siôn. Gadawodd i'w fysedd lithro'n esmwyth dros y ffrâm, dros y sedd a'r tanc, a dagrau o lawenydd yn cronni yn ei lygaid. Meddyliodd unwaith na châi fyth gyffwrdd â'i feic eto, a heb os nac oni bai, hwn oedd o!

Gan gofio'n sydyn fod pob eiliad yn cyfrif, tynnodd y beic o'r gornel ac wrth ei symud clywodd y petrol yn symud yn y tanc. Gallai ddweud fod y tanc yn hanner llawn. Go brin y byddai angen y botel blastig ym mag Eleri, felly.

Ar ôl cyrraedd y drws, safodd gan edrych i bob cyfeiriad rhag ofn. Er mai dod i nôl ei eiddo ei hun yr oedd o, ni allai lai na theimlo fel lleidr y foment honno. Wedi gwneud yn siŵr nad oedd neb o gwmpas, gwthiodd Siôn y beic yn ofalus ar draws y buarth tra aeth Eleri i gau drws y sgubor ar ei ôl.

70

Unig bryder Siôn rŵan oedd y buasai Bob yn dechrau cyfarth a rhedeg o amgylch y beic gan feddwl mai rhyw ddafad ar ddwy olwyn oedd o! Ond chwarae teg iddi, roedd Eleri wedi rhag-weld hyn hefyd ac wedi gofalu fod ganddi ddigon o fisgedi ar ôl i'w gadw'n dawel.

Cerddodd y ddau o boptu'r beic i lawr y ffordd gul oedd yn arwain o'r fferm. Ddaeth Bob ddim pellach na'r llidiart, a safodd yno'n ysgwyd ei gynffon a golwg digon trist arno, fel petai'n colli'i ffrindiau gorau. Heb gyfarth o gwbl, fe drodd yr hen gi yn ei ôl tua'r buarth, ac at y pentwr o fisgedi a adawsai Eleri ar ei gyfer.

'Fe fydd yn rhaid i ni groesi'n bysedd—wel, croesi pob dim—y gwnaiff yr injan gychwyn ar y cynnig cyntaf,' sibrydodd Siôn wedi iddynt gerdded ryw gan metr oddi wrth y fferm. Erbyn hyn, roedd nerfau Siôn fel tân gwyllt ac roedd o'n ysu am gael neidio ar gefn y beic a rhuthro am adref.

Wedi cyrraedd y groesffordd, tynnodd Siôn y beic i'r ochr yn barod i'w danio. Roedd bysedd Eleri'n dal wedi'u croesi wrth iddi edrych yn ôl am y canfed tro tuag at y fferm.

Do, fe daniodd y beic modur ar y cynnig cyntaf, er mawr syndod i'r ddau, a rhuodd yr injan yn fyddarol gan rwygo tawelwch y bore cynnar. Doedd bosib na fyddai holl drigolion

71

yr ardal yn deffro gyda'r holl sŵn. Edrychodd Eleri yn ei hôl yn ofnus tuag at y fferm.

'Tyrd! Brysia, Ler . . . tân dani! Neidia ar gefn y beic,' gwaeddodd Siôn yn gyffro i gyd.

A chyn i Eleri eistedd yn iawn ar y sedd gefn, roedd Siôn wedi sbarduno ymlaen ar hyd y ffordd. Teimlodd rym y beic yn cynyddu wrth iddo symud o un gêr i'r nesaf, a'r cyffro'n saethu fel mellt trwy ei wythiennau. Roedd hi'n grêt cael bod yn ôl ar gefn ei feic!

Yr un pryd, cofiai o'i brofiad ar drac rasio'r motocrós mai'r ffordd orau i ennill ras oedd drwy gychwyn yn gyflym ac ennill y lap gyntaf. Dyna'n union a wnaeth rŵan—cychwyn yn bwerus a chyflym oddi ar lôn y fferm, ac ni fyddai gan Gwil Harris na neb arall obaith i'w ddal wedyn. Yn wir, roedd y beic yn ymateb yn berffaith a rhaid oedd i Siôn gyfaddef—beth bynnag oedd bwriad Gwil Gwallgo wrth ddwyn y beic—ei fod wedi edrych ar ei ôl yn rhagorol. A rŵan, gallai Siôn fwynhau pob modfedd o'r daith adref.

Ond wrth iddyn nhw groesi Mynydd Pengam, syfrdanwyd Siôn pan welodd y ddaear ar y gorwel yn cael ei rhwygo'n ddarnau. Yr eiliad nesaf, fe'u byddarwyd gan ffrwydrad arall, yn llawer nes y tro hwn, a sylwodd Siôn ar y pridd a'r cerrig yn tasgu'n uchel i'r awyr. Arafodd yn syth gan droi'r beic i ffwrdd o gyfeiriad y ffrwydrad.

'Be aflwydd sy'n digwydd?' gwaeddodd dros ei ysgwydd.

Roedd Eleri ar y pryd wedi dychryn gormod i'w ateb. Ychydig ynghynt roedd hi wedi sylwi ar faner goch yn chwifio ar un o'r pyst, ond doedd hi ddim wedi ystyried beth oedd ei ystyr. Fe wyddai'n awr!

Roedden nhw wedi tresbasu yng nghanol y maes tanio—pan oedd y fyddin ar ganol ymarfer saethu!

'Mae'n rhaid i ni fynd oddi yma am ein bywydau, Siôn!' gwaeddodd yn ei glust chwith. 'Mae hi'n rhyfel wyllt yma ac maen nhw'n defnyddio ffrwydron go iawn wrth ymarfer!'

Wedi dychryn yn lân, breciodd Siôn yn syth, gan reoli sgìd yr olwyn ôl yn union fel y gwnâi mor aml wrth rasio.

'Ond maen nhw i fod i adael i bobl wybod pan maen nhw'n tanio!' meddai Siôn mewn sioc.

'Mi ddaru nhw!' atebodd Eleri. 'Mae'r baneri cochion yn chwifio ar bob postyn! Siôn, mae'n rhaid i ni fynd oddi yma! Y funud hon!'

'Ond allwn ni ddim mynd yn ein holau,' eglurodd Siôn. 'Erbyn rŵan mi fydd Gwil Gwallgo'n chwilio amdanon ni ymhob man.'

Wrth i Siôn siarad, ffrwydrodd darn arall o'r mynydd heb fod ymhell oddi wrthynt nes bod cwmwl o bridd a cherrig yn tasgu'n uchel i'r awyr.

'Does gynnon ni ddim dewis ond mynd ar draws y mynydd, yn ddigon pell oddi wrth y tanio,' meddai Siôn yn bendant. Er na fuasai fyth yn cyfaddef hynny, roedd yntau wedi dychryn yn ofnadwy, ond gwyddai y byddai'n rhaid iddo gadw'i ben os oedden nhw am ddianc yn saff. 'Yli, mi fydd yn rhaid i mi yrru'r beic 'ma fel mewn sgrambl go iawn. Felly, dal d'afael yn y cefn 'na. Iawn?'

Nodiodd Eleri ei phen gan geisio gwenu. Gwasgodd ei dannedd yn dynn a thynhaodd pob gewyn yn ei chorff wrth iddi deimlo rhu'r injan yn treiddio drwy'r ffrâm fel daeargryn. Bu ond y dim iddi roi ei breichiau am ganol Siôn, ond ni fentrodd. Y peth olaf roedd ar Siôn ei angen rŵan oedd rhywbeth fyddai'n tynnu ei sylw.

Wrth iddynt ruthro drwy'r grug, neidiai'r beic i fyny ac i lawr fel ceffyl mewn ffair, ond heb fod hanner mor esmwyth. Teimlodd Eleri'r bag ar ei chefn yn ysgwyd cymaint nes gwneud iddi deimlo'n ddigon simsan. Bu ond y dim iddi ei daflu i ganol y grug, ond yna meddyliodd efallai y byddai arnyn nhw angen y botel betrol yn nes ymlaen.

Erbyn hyn, roedd yr haul wedi codi dros y gorwel ac roedd hi'n amlwg yn mynd i fod yn ddiwrnod braf—os caen nhw fyw i weld y fath ddiwrnod!

74

Yn nes draw, ar hyd y mynydd, gallai Siôn weld ceunant lle rhedai nentydd bychain allan o'r corsdir. Penderfynodd anelu tuag ato er mwyn cael rhywle i gysgodi am ychydig rhag y ffrwydron. Tynnwyd ei lygaid gan symudiad i'r chwith iddo.

A dyna pryd y gwelodd y dyn mewn gwisg filwrol yn carlamu tuag atynt ar gefn ceffyl. Meddyliodd yn gyntaf mai dod i'w helpu oedd y dyn, ond buan y newidiodd ei feddwl pan welodd y milwr yn chwifio'i freichiau'n wyllt. Petaen nhw'n cael eu dal am dresbasu ar dir y Fyddin, fe fyddai'n ddrwg iawn arnyn nhw. Ar unwaith trodd Siôn y beic i lawr yr ochr serth tuag at y nant islaw. Er mor serth a llithrig oedd y llethr, roedd Siôn yn ei elfen yma a buan y cyrhaeddodd y gwaelod yn ddiogel.

Neidiodd y beic fel llyffant dros y ffrwd, a bwriad Siôn yn awr oedd chwilio am gysgod, a chuddio am ychydig nes i'r tanio beidio. Ond newidiodd ei feddwl yn sydyn pan welodd lwybr defaid cul yn arwain i fyny yr ochr arall i'r ceunant. Wrth ddilyn hwn, siawns y bydden nhw allan o gyrraedd y gynnau a'r milwr ar gefn y ceffyl.

Ond wrth iddyn nhw ddringo'r llwybr, daeth milwr arall ar gefn ceffyl i'r golwg uwch eu pennau. Gwaeddodd Eleri'n sydyn:

"Drycha! Dyn ar gefn ceffyl, Siôn! Draw yn fan'cw! Rydan ni'n ddiogel o'r diwedd!'

Ond doedd Siôn ddim yn teimlo felly. Yn ei farn o, roedd y milwyr yn gymaint o fygythiad iddyn nhw â'r ffrwydron. Ond doedd Siôn ddim yn fachgen i ildio'n hawdd. Roedd ei brofiad ar y trac sgramblo wedi dysgu hynny iddo. Trodd oddi ar y llwybr cul ac anelodd ei feic i fyny'r llethr serth trwy ganol y cerrig a'r graean. Erbyn hyn, bu'n rhaid i Eleri afael yn dynn am ei ganol neu fe fuasai wedi cael ei thaflu'n bendramwnwgl i ganol y nant oddi tani.

Gwasgodd Siôn y throtl a newid y gêr yn ffyrnig. Ond rhywsut, dechreuodd yr olwyn droi yn ei hunfan a llithrodd y beic i lawr yr ochr er gwaethaf pob ymdrech gan Siôn. Doedd dim amdani ond troi'r beic yn ôl at y llwybr. A dyna'r eiliad y bu'n rhaid i Siôn stopio'n stond, gan sgidio.

Pwy safai o'i flaen yn y fan lle cyrhaeddai'r llwybr y gefnen uwchlaw'r nant ond y milwr ar gefn ceffyl. Teimlai Siôn bellach ei fod wedi'i drechu'n llwyr. Roedd y ddau filwr ar gefn ceffylau wedi ei gornelu. Yn ofalus a phwyllog croesodd y milwr cyntaf y nant islaw gan anelu tuag atynt. Gyda'r band coch o amgylch ei gap pig, roedd yn amlwg mai hwn oedd y Sarjant.

Wedi iddo'u cyrraedd, ni wnaeth ddim ond

rhythu'n gas ar y ddau am funud hir. Yn y diwedd gofynnodd mewn llais caled, 'Oeddech chi'ch dau yn trio cael eich lladd neu rywbeth?'

Er bod ei du mewn yn crynu fel jeli, fe geisiodd Siôn ei ateb mor gadarn â phosib. 'Wydden ni ddim eich bod chi'n ymarfer y bore 'ma . . .'

'A pham yn y byd ydach chi'n meddwl fod yr holl faneri cochion yn chwifio o gwmpas y mynydd? Peidiwch â deud nad ydach chi wedi trafferthu i ddarllen y posteri sydd i'w gweld ym mhobman!'

'Welson ni mo'r baneri, wel, hyd nes roedd hi'n rhy hwyr. Ac erbyn hynny, ro'n i ar goll . . .'

Roedd Eleri ar binnau eisiau helpu ei chefnder, ond ni allai yn ei byw feddwl am unrhyw beth i'w ddweud. Teimlai rywsut mai dweud dim oedd y gorau, rhag ofn gwylltio'r Sarjant! Wedi'r cwbl, roedd ganddo bob hawl i wylltio efo nhw.

'Jolihoetio o gwmpas y mynydd oeddech chi, yntê, y taclau bach, a gwneud hynny ben bore fel hyn rhag i neb eich dal chi,' gwaeddodd y Sarjant a'i wyneb bellach yn goch fel tomato aeddfed.

'Tydi hynna ddim yn wir!' atebodd Siôn, wedi magu tipyn o blwc erbyn hyn. 'Wedi bod yn nôl fy moto-beic i ryden ni. Mi gafodd ei ddwyn gan ddihiryn sy'n byw ar fferm yn Nyffryn Llynwen. Dyna pam ryden ni ar y mynydd yr adeg yma o'r bore—'

Ni chymerodd y Sarjant fawr o sylw o Siôn, gan gymryd yn ganiataol mai rhyw esgus plentyn oedd y stori yna. Roedd eisoes wedi anfon neges ar ei radio fach i ddweud bod tresbaswyr ar y mynydd ac iddyn nhw beidio â thanio am ychydig. Ond doedd o ddim am eu cadw'n segur am amser hir. Roedd y plant yma, yn ei farn o, wedi bod yn hollol anghyfrifol ac fe ddylid dysgu gwers iddyn nhw.

'Petaen ni heb fod ar batrôl y bore 'ma, a'ch gweld chi'ch dau'n tresbasu ar ein tir ni, yna mi fyddech chi, fwy na thebyg, wedi cael eich lladd,' rhuodd y Sarjant mewn llais awdurdodol. 'Rŵan, dwi am i chi ei heglu hi oddi ar y tir 'ma ar unwaith! Dallt? Ac mi fyddwn ni'n eich dilyn chi bob cam o'r ffordd i wneud yn siŵr! Ond cyn ichi fynd, mi gaiff Corporal Powell gymryd eich enwau a'ch cyfeiriadau ac enwau eich ysgolion. Yna mi fydd eich rhieni a'ch prifathrawon yn clywed gan y Pennaeth Milwrol a gobeithio y cewch chi eich cosbi'n iawn! Mi fuasai tipyn o ddisgyblaeth filwrol yn gwneud y byd o les i chi. Iawn, Corporal Powell, dewch i ni gael eu henwau nhw.'

Llyncodd Siôn ei boer cyn sibrwd ei enw

a'r manylion eraill, a mynnodd Eleri ddweud eu bod nhw'n gefnder a chyfnither. Ond ni chymerodd y Sarjant fawr o sylw o hyn.

Wedi i'r Corporal orffen sgrifennu, dangosodd y Sarjant y ffordd i adael y maes tanio. Roedden nhw'n weddol agos at y ffordd, beth bynnag.

'Ffwrdd â chi, felly,' gorchmynnodd y Sarjant wedi iddo orffen rhoi'r cyfarwyddiadau. 'A pheidiwch byth â dod yn ôl yma eto! Byth! Dallt? Hyd yn oed os nad ydi'r baneri cochion yn chwifio. Chewch chi mo'ch chwythu'n chwilfriw wedyn, yn na chewch?'

Ymhen rhai munudau, cyrhaeddodd y ddau y ffordd—a rhyddid. Ni feiddiodd yr un ohonyn nhw edrych yn ôl—rhag ofn!

'Iechyd!' ochneidiodd Siôn. 'Ro'n i'n meddwl yn siŵr y bydden nhw wedi'n taflu ni i'r carchar neu rywle tebyg. Roedd y ddau geffyl anferth yna'n ddigon i ddychryn unrhyw un!'

Cytunodd Eleri. 'Mae'n gas gen i anifeiliaid pedair coes beth bynnag. Cofia mai'r blincin mul 'na wnaeth achosi'r holl drwbwl yn y lle cynta!'

'Rwyt ti'n iawn,' meddai Siôn wrth anelu'r beic am adref. 'Mae'n llawer gwell gen innau ddwy olwyn na phedair coes. Yn enwedig y ddwy olwyn yma!'

Pennod 8

'Sut mae'r beic yn plesio?' gofynnodd Steffan, gan ryw hanner gwenu ar Siôn drwy'i wyneb briwedig.

'Ffantastig! Cystal ag erioed a deud y gwir. Dwi ddim yn meddwl bod Gwil Harris wedi gwneud fawr o ddifrod iddo fo, ond cofia, mae dy dad wedi gwneud gwyrthiau fel arfer efo'i sbaner!' meddai Siôn yn frwdfrydig. 'Mi fuaswn i'n mynd cyn belled â deud fod y beic 'ma mewn gwell cyflwr na dy wyneb di, Steff! Wyt ti'n siŵr dy fod ti'n ddigon ffit i reidio'r pnawn 'ma?'

'Ewadd mawr, ydw!' atebodd Steffan gyda'r fflach arferol yn ei lygaid. 'Dwi wedi rasio ar ôl brifo'n llawer gwaeth na hyn ac wedi gorffen yn y tri cynta, cofia. Na, dwi'n bwriadu cipio Tlws y Reidiwr Gorau yn y Bencampwriaeth 'na heddiw! Wnaiff ychydig o friwiau ddim fy stopio i! Ddim ffiars o beryg!'

Gan godi'i ysgwyddau, trodd Siôn yn ôl at ei feic. Rêl Steffan, meddyliodd, byth yn cymryd sylw o unrhyw anaf, pa mor ddifrifol bynnag oedd o. Ond fe edrychai'r briwiau ar ei wyneb yn fwy poenus y tro hwn nag yr oedd o'n fodlon cyfaddef. Ac wrth gwrs, bai

Steffan ei hun oedd y cyfan. Yn ystod un o'r ymarferion, fe geisiodd ddangos ei hun gan wneud naid oedd bron yn amhosibl ac, yn naturiol, fe gafodd andros o godwm! Roedd Siôn yn amau a fyddai Steffan yn ddigon abl i reidio mewn cystadleuaeth mor galed a ffyrnig â hon ac ar un o'r cyrsiau sgramblo anoddaf yn y wlad.

Cafodd Cwrs Rhiw-saeth ei adeiladu ar fryn coediog, ac yn ôl Llion Mathews, capten tîm Trefeurig, roedd o'n debyg iawn i ochr un o fynyddoedd yr Alpau yn y Swistir, a'r un mor serth! A chan na fu'n glawio ers wythnosau, roedd wyneb y tir yn eithriadol o sych; yn ystod yr ymarfer y bore hwnnw, gwelwyd cymylau o lwch coch yn codi i'r awyr.

Ond roedd Siôn yn edrych ymlaen yn eiddgar at brofi'i sgiliau ar y trac yma, yn enwedig y corneli cyfyng, y rhiwiau serth ac ambell naid chwithig. Hwyrach fod ffawd o'r diwedd yn gwenu arno. Cafodd ei ddewis yn un o'r chwe aelod o dîm Clwb Beiciau Modur Trefeurig ac roedd cwrs fel un Rhiw-saeth wrth fodd ei galon. Roedd hyd yn oed Yncl Cled wedi dechrau gwenu arno eto, er mai Gags oedd yn dal i gael y sylw i gyd.

Oedd, roedd agwedd Yncl Cled tuag at Siôn wedi newid er pan glywodd y stori lawn gan Eleri am sut y diflannodd y beic modur.

Ac ni wastraffodd ddim amser cyn talu ymweliad â Chefn Esgair a bygwth cweir iawn i Gwil Harris. Er i hwnnw brotestio mai dod o hyd i'r beic wedi ei adael ar ochr y ffordd wnaeth o, bu ond y dim i Yncl Cled fynd â fo'n syth at yr heddlu.

'Dyna'r peth mwya digri welodd Dad erioed,' chwarddodd Eleri. 'Gwil Harris ar ei liniau ar fuarth Cefn Esgair yn crio fel babi ac yn begian am faddeuant! Ac roedd Dad yn meddwl dy fod ti—a fi—wedi bod yn andros o glyfar yn dod o hyd i'r beic a llwyddo i'w gael o'r sgubor heb i neb ein gweld ni.'

A dyna lle roedd Yncl Cled yn awr yn sefyll yr ochr arall i'r padog yn sgwrsio â Gags. Bu ei frawd yn hynod o dawedog ar ôl i Siôn ddod o hyd i'w feic. Mae'n siŵr, tybiodd Siôn, ei fod o'n poeni am fod ei frawd bach yn ôl yn rasio—ac ar ei feic ei hun unwaith eto! Beth bynnag, doedd Siôn byth wedi maddau i Gags am y pethau cas ddywedodd o ar ôl iddo golli'i feic.

Erbyn hyn, roedd criw mawr o bobl wedi ymgasglu o amgylch un o'r beicwyr. Roedd Siôn wedi clywed amdano'n barod—Huw Bowen oedd ei enw ac fe ddaeth i fyw i'r ardal o gyffiniau Merthyr Tudful ac ymuno â Chlwb Beiciau Modur Rhiw-saeth. Yn ôl yr hanes, roedd ganddo gryn enw fel beiciwr cyflym, yn enwedig ar dir glas. Bachgen main, gwydn, gyda mop o wallt cringoch oedd o, ac eisoes roedd o'n ffefryn gan bawb.

'Welaist ti 'rioed y ffasiwn ffwdan?' Daeth Gethin Tudur, aelod o Glwb Beiciau Modur Abercywarch, sef y dref agosaf i Drefeurig, i sefyll wrth ochr Siôn.

'Mae'n amlwg fod gan bobl ryw feddwl mawr ohono fo,' atebodd Siôn.

'Ac yntau'n meddwl mwy ohono'i hun!' sgyrnygodd Gethin.

Gwenodd Siôn. Roedd o'n hoff iawn o Gethin. Er y gallai fod yn ymosodol iawn ar y trac ac yn benderfynol o ennill pob ras, eto oddi ar y trac roedd o'n fachgen hoffus a llawn hwyl.

'Wel, os galli di feddwl am ryw ffordd i'w wthio fo allan o'r ras, mi ofala i am y gweddill ohonyn nhw, Geth!' meddai Siôn gan wenu'n awgrymog ar ei gyfaill. 'Yna, mi gawn ni'n dau orffen yn gyntaf ac yn ail . . .'

'Cyn belled ag y bydda i'n gyntaf a tithau'n ail!' atebodd Gethin gan roi hergwd chwareus i Siôn. Ond doedd dim amser ar ôl i dynnu coes ei gilydd rhagor. Roedd ras y Beicwyr Iau newydd orffen.

Pan aeth Siôn yn ôl at ei feic a chlymu'i helmed yn barod, pwy redodd ato ond Yncl Cled.

'Pob lwc i ti, Siôn,' meddai gan godi'i fawd yn llawn hyder. 'Mae Leri wedi gofyn i mi weiddi drosti pan fyddi di'n mynd heibio. Gobeithio y cei di ras dda!'

Nodiodd Siôn ei ben yn llawn syndod. Fel arfer, prin y byddai ei ewythr yn dweud gair wrtho cyn dechrau unrhyw ras, ond y tro hwn, roedd o fel petai am weld Siôn yn ennill! Tybed oedd Leri wedi bod yn mwydro'i thad eto ac wedi canmol Siôn i'r cymylau? Yn anffodus, doedd hi, ei gefnogwr pennaf, ddim yno heddiw. Bu'n rhaid iddi fynd gyda'i mam i siopa am ddillad ar gyfer rhyw briodas neu'i gilydd.

Wrth i bob un o'r beicwyr sbarduno'u peiriannau ar yr un pryd, cododd cwmwl o fwg glas budr i'r awyr. Bellach, rhythai pob llygad ar y tâp fyddai'n arwyddo cychwyn y ras. Llwyddodd Gags rywsut i ddod â'i feic at ochr Siôn, yn barod am gychwyn gwerth chweil er mwyn profi i'w frawd bach mai fo oedd Brenin y Trac!

Yn gwbl ddirybudd, saethodd beic Steffan Owen o dan y tâp a bu'n rhaid i'w dad ei lusgo'n ôl wrth i'r swyddog ei geryddu am fod yn rhy fyrbwyll. Sylwodd Siôn fod beic modur Steff mewn cyflwr perffaith fel arfer. Chwarae teg i Mr Owen, ei dad, fe roddodd yr un faint o sylw i feic Siôn hefyd cyn y ras hon, ac os digwyddai golli'r ras, yn sicr nid oherwydd rhesymau mecanyddol y byddai hynny.

Teimlai Siôn y tensiwn yn treiddio o'i ysgwyddau ac i lawr cyhyrau ei gefn. Fel pob reidiwr arall oedd yn awyddus i ennill, fe deimlai'n nerfus ar ddechrau pob ras, ond yn fwy fyth y tro hwn ac yntau am y tro cyntaf yn cystadlu ym Mhencampwriaeth y Clybiau. Roedd o'n gwbl benderfynol o wneud sioe dda ohoni.

Gan ei fod mor agos at law chwith y Swyddog Cychwyn, synhwyrodd Siôn y llaw yn symud hanner eiliad cyn i'r tâp lastig saethu o'r ffordd. Ac i ffwrdd â fo'n syth!

Cafodd Sion gychwyn rhagorol—yr union gychwyn roedd o wedi gobeithio amdano. Ac eto, yn rhyfedd iawn, sylwodd fod Huw Bowen o'i flaen. Ni wyddai Siôn sut ar y ddaear oedd hynny'n bosib—doedd dim rhyfedd bod y gohebwyr chwaraeon yn ei alw'n 'Mellten Merthyr'. Rhuodd Huw Bowen i lawr y rhiw gyntaf a Siôn yn dynn wrth ei gwt.

Aeth y ddau dros y naid gyntaf fel dwy wiwer yn llamu o gangen i gangen, ac yna i fyny'r rhiw nesaf lle tyfai gwreiddiau hen goed yn blith draphlith ar yr wyneb. Rhywle yn y pellter, clywent y gwylwyr yn gweiddi'n groch.

Roedd Siôn yn falch iddo gael cychwyn da a rŵan, hyd y gwyddai, roedd o bellter o flaen ei hen elynion—rhai fel Llion Mathews,

Gethin Tudur a Steffan Owen. Rhoddai unrhyw beth am gael cipolwg sydyn dros ei ysgwydd rhag ofn, ond petai'n gwneud hynny nawr gallai fod ar ben arno!

Erbyn hyn, roedd Huw Bowen yn gyrru dros y tir glas ar gyflymdra aruthrol—yn union fel petai am greu record newydd sbon ar gwrs Rhiw-saeth! Roedd o bellach wedi pellhau tipyn oddi wrth Siôn wrth i'r ddau nesáu at y tro pedol cyntaf. Trodd Huw y gornel mor wych nes i'r gwylwyr oedd ar yr ochr ddechrau curo dwylo—rhywbeth nad oedd byth yn digwydd ar ddechrau ras! Dilynodd Siôn yr arwr mawr, a'r llwch a godai o feic Mellten Merthyr yn ei ddallu am ychydig. Ond trodd y gornel yn hynod o gelfydd ac injan ei feic yn sgrechian yn y trydydd gêr.

Y tu ôl iddo, brwydrai Llion Mathews a Gethin Tudur am y trydydd safle. Roedd hi'n anarferol iawn i Llion Mathews fod ar ôl fel hyn, ond fe gollodd ei gyfle yn y rhuthr am y cychwyn ac roedd o'n ddigon doeth i sylweddoli mai arno fo oedd y bai, nid ar y beic. Collodd un eiliad o ganolbwyntio ac roedd hynny'n ddigon! Ond rŵan, roedd o'n benderfynol o wneud iawn am ei ddiffyg neu fe fyddai'n gocyn hitio go iawn gan ei gefnogwyr!

Ond wedyn, roedd Gethin Tudur yr un mor

benderfynol ac yn gwrthod ildio hyd yn oed un centimetr i'r pencampwr. Prif amcan Gethin yn awr oedd cadw Llion Mathews rhag pasio, ac roedd hynny'n fwy pwysig iddo na dal y ddau arall cyn gynted ag yr oedd modd.

Roedd cryn bellter erbyn hyn rhwng y pedwar ar y blaen a'r gweddill, oedd yn un haid flêr rywle ymhell yn ôl. Roedd Steffan Owen yng nghanol y rhain, ac ni allai yn ei fyw â thorri'n rhydd. Roedd dau feiciwr ofnus o'i flaen yn mynd yn araf ac roedd hi'n amhosibl pasio'r taclau! Wrth ei ochr, yn teimlo yr un mor rhwystredig, roedd Gags, brawd Siôn. Teimlai ganmil gwaeth wrth weld ei frawd bach bellter ar y blaen!

Doedd gan Siôn ddim diddordeb beth a ddigwyddai yng nghefn y ras. Roedd ei lygaid wedi eu hoelio trwy gydol yr amser ar olwyn ôl beic Huw Bowen. Wrth iddo droi cornel gyfyng arall, ac yna rhuthro tuag at ddarn coediog o'r trac, roedd Siôn wedi penderfynu mai ar y darn syth lle roedd y cwrs yn dechrau ac yn gorffen oedd y lle gorau i geisio pasio Huw. Byddai tyrfa dda o bobl yno'n gwylio ac fe fyddai'n dipyn o bluen yn ei gap petai'r rhain i gyd yn ei weld yn pasio Huw Bowen o bawb.

Ond ni fyddai hynny'n bosib ar y lap gyntaf oherwydd bod gormod o bellter rhyngddynt ar y funud. Er hynny, roedd gan Siôn ffydd fawr yn ei feic. Dibynnai'r cyfan bellach ar ei sgiliau reidio, a pha mor benderfynol oedd o i ennill y ras.

Cyn belled ag yr oedd y gwylwyr yn y cwestiwn, dim ond dau beth oedd yn bwysig yn y ras bellach. Ai Huw ynteu Siôn fyddai'n ennill, a pha un o'r ddau oedd y tu ôl iddyn nhw oedd yn mynd i ddod yn drydydd? Doedd gweddill y beicwyr yn cyfri dim!

Ond yna'n sydyn, ac yn hollol annisgwyl, newidiodd y sefyllfa'n llwyr. Yng nghefn y ras, roedd dau feiciwr yn ymladd am yr un safle, ac wrth ruthro'n ddifeddwl tuag at ddarn cul o'r trac, aeth y ddau ar eu pennau i'w gilydd. Wrth i'r ddau feic drybowndio'n ôl, aeth nifer o feiciau eraill o'r tu ôl iddynt i lawr yr un pryd. Rhuthrodd amryw o'r gwylwyr ar y trac i helpu. Roedd y lle fel ffair.

Eiliadau'n ddiweddarach, cyn i'r faner felen gael ei chodi, pwy saethodd dros y gefnen ond Huw Bowen. Gan ei fod o erbyn hyn un lap gyfan ar y blaen i'r beicwyr hyn, dyma yntau hefyd ar ei ben i ganol y gyflafan.

Er iddo frecio y gorau gallai, doedd ei sgiliau ar y tir glas yn fawr o werth iddo yng nghanol y pentwr yma o feiciau modur yn blith draphlith ar draws y trac. Cydiodd ei feic yn olwyn flaen un o'r beiciau eraill a thaflwyd Huw druan ar ei ben i'r gwrych gerllaw. A dyna oedd diwedd y ras i 'Mellten Merthyr'.

Yn dynn wrth ei gwt roedd Siôn. Wrth lwc, fe gafodd gipolwg brysiog ar faner wen a chroes goch yn ei chanol yn chwifio. Gwyddai'n syth fod damwain wedi digwydd a rhywun ag angen cymorth meddygol. Yr eiliad nesaf bu'n rhaid i Siôn hefyd ddefnyddio pob tamaid o'i sgiliau reidio er mwyn osgoi'r holl feiciau, y gyrwyr a'r gwylwyr oedd yn gorchuddio'r trac. Yn wir, bu ond y dim i Siôn lwyddo i fynd trwy'r cyfan ac ymlaen gyda'r ras, hyd nes i'w olwyn flaen daro helmed rhywun oedd yn rholio ar hyd y llawr. Trodd gyrn y beic yn gyflym i'r dde i geisio'i osgoi, ond disgynnodd y beic ar ei ochr. Rhywsut, llwyddodd Siôn i ryddhau ei goes chwith cyn i ffrâm y beic ddisgyn yn chwap ar lawr. Yng nghynnwrf y foment, ni theimlodd unrhyw boen wrth ddisgyn. O leiaf roedd yr injan yn dal i dician.

Gyda'r ddau gyntaf allan o'r ras, gwelodd Gethin Tudur ei gyfle euraid. Yn gall iawn, arafodd wrth weld y fath gyflafan ar y trac a llwyddodd i lywio'i feic yn ofalus rhwng y pentyrrau o ddur a rwber. Y tu ôl iddo daeth Llion Mathews ar garlam, ac wrth weld Gethin wedi arafu, manteisiodd ar ei gyfle gan saethu heibio fel bwled. Ond fe dalodd yn ddrud am fod mor fyrbwyll. Ar yr union foment honno, croesodd un o'r bechgyn ar draws y trac i ddiogelwch, ac wrth geisio'i osgoi llithrodd beic Llion allan o reolaeth ac anelu'n syth i mewn i'r gwrych lle roedd Huw Bowen eisoes yn gorwedd.

Erbyn hyn, roedd pawb yn disgwyl y byddai'r ras yn cael ei gohirio, ond gan nad oedd yr un swyddog yn fodlon cymryd y cyfrifoldeb i chwifio'r faner goch, yn ei blaen yr aeth hi.

Yn ogystal â Gethin Tudur, manteisiodd dau yrrwr arall ar y ddamwain. Gareth Parri, brawd Siôn, oedd un a lwyddodd, gyda chryn amynedd, i lywio'i feic heibio i bawb. Steffan Owen oedd y llall—fe reidiodd ei feic o amgylch y ddamwain gan rwygo'r tâp marcio yn ddarnau. Yn eu blaenau yr aeth y ddau fel fflamiau ar ôl Gethin.

Doedd y ras ddim ar ben i Siôn chwaith. Bellach roedd yn ôl ar gefn ei feic, ac er bod ei gorff yn gleisiau byw, a phob cymal yn brifo, anwybyddodd y cyfan gan wybod fod pob eiliad yn cyfri'n awr. Sbardunodd yn gyflym ar ôl y tri arall.

Gwyddai Gethin Tudur, cyn belled na wnâi ddim byd gwirion rŵan, y gallai gadw ar y blaen hyd ddiwedd y ras. Doedd o ddim wedi disgwyl gweld Huw Bowen yn aros yn hir ar ddwy olwyn ar gwrs fel hwn.

Ac roedd o'n iawn! Ei bryder pennaf oedd Siôn Parri gan ei fod, ym marn Gethin, yn meddu ar sgiliau a gallu arbennig fel reidiwr. Ond rŵan, roedd o wedi gweld Siôn druan yn disgyn, ac yntau allan o'r ras hefyd!

Parhâi Steffan i fod yn drydydd anniddig a phenderfynodd y byddai'n rhaid iddo basio Gags ar y cyfle cyntaf a gâi. Ond diffyg amynedd oedd gwendid mawr Steffan, a thrwy'r lap nesaf fe geisiodd wneud y pethau gwirionaf a mwyaf peryglus er mwyn ceisio pasio'i hen elyn a chyrraedd yr ail safle. Ond ychydig a wyddai ar y pryd nad oedd ei feic yn y cyflwr y dylai fod. Wrth osgoi'r ddamwain ychydig ynghynt, a thorri'r tâp marcio, yn ddiarwybod iddo fe lapiodd peth o'r tâp am fecanwaith y brêc ôl. Felly, wrth i'r beic ruthro yn ei flaen, tynhâi'r tâp am y brêc. Nid rhyfedd felly, er pob ymdrech gan Steffan, fod yr injan fel petai'n colli grym o funud i funud.

Ar y darn goriwaered nesaf gwnaeth Steffan un ymdrech dda i basio Gags. Saethodd ei feic i'r awyr oddi ar y ramp yr un pryd â Gags—gan ddychryn hwnnw'n lân. Ond yr eiliad y trawodd olwyn ôl Steffan y ddaear, fe glodd y brêc yn llwyr. Llithrodd y beic yn ffyrnig a thaflwyd Steffan ar draws y trac ac i mewn i'r ffos gyferbyn.

Ni allai Gags goelio'i lwc. Roedd *popeth* yn

gweithio o'i blaid yn awr, a Steffan—o bawb —allan o'r ras yn llwyr. Ond wrth ymfalchïo yn anlwc Steffan aeth meddwl Gags ar grwydr. Yn y naid nesaf, anghofiodd symud ei bwysau i gefn y beic ac felly, wrth lanio, plannodd cyrn y beic fel ergyd gordd i ganol ei fol. Aeth pob mymryn o wynt allan o'i ysgyfaint, ac am y can metr nesaf bu'n rhaid iddo ymladd yn galed am ei anadl a chollodd reolaeth yn llwyr ar ei feic. Teimlodd ei hun yn llithro'n araf oddi arno gan syrthio i ganol llwch y trac.

Yn ffodus i Gags, pwy safai yn yr union fan lle disgynnodd ond ei Yncl Cled. Cododd Gags oddi ar y llawr a'i gario i le diogel.

A dyna'r eiliad y rhuthrodd Siôn heibio, a gwenodd fel cath wrth weld ei frawd mawr ym mreichiau'i ewythr a'i wyneb yn wyn fel y galchen. Heb unrhyw ymdrech ar ei ran ef, yr oedd wedi symud o'r pedwerydd i'r ail safle, a hynny'n bur sydyn. Rŵan, gallai ganolbwyntio ar ddal Gethin Tudur ac ennill y ras.

Roedd Gethin yn ei chael hi'n anodd mesur pa mor gyflym y dylai yrru er mwyn cadw ar y blaen, ac nid oedd ganddo syniad chwaith beth oedd yn digwydd y tu ôl iddo. Ar y gornel nesaf, cafodd un cip brysiog dros ei ysgwydd. Fe'i syfrdanwyd pan welodd Siôn Parri, o bawb, yn nesáu'n beryglus tuag ato.

Gwyddai mai dim ond hanner cyfle oedd ar Siôn ei angen ac fe fyddai ar ei warthaf fel llwynog yng ngwâl cwningen!

O fetr i fetr âi'r pellter rhwng Siôn a Gethin yn llai ac yn llai. Ar y goriwaered y byddai Siôn yn rhagori, gan nad oedd Gethin hanner cystal am ruthro'n syth yn ei flaen ar ôl cyrraedd y gwaelod. Ond roedd Gethin yn benderfynol o gadw'i ben, a doedd bygythiadau Siôn o'r tu ôl iddo ddim yn mynd i'w gynhyrfu.

Ar y lap olaf, roedd Siôn o fewn lled olwyn i Gethin, ac er iddo geisio'i orau sawl gwaith i'w basio ar ôl pob naid, llwyddodd Gethin i'w rwystro pob gafael.

Ond wrth i'r llinell derfyn ddod i'r golwg, gwasgodd Siôn y throtl yn dynn gan sugno pob tamaid o rym o berfeddion yr injan. Sbardunodd wrth ochr Gethin, ac aeth y ddau heibio i'r faner sgwarog yn union yr un pryd!

Ni allai hyd yn oed y beirniad ddweud pa un oedd ar y blaen a chyhoeddodd fod y ddau yn gydradd gyntaf.

'Roeddet ti'n ffantastig, Siôn. Ffantastig!' meddai'r beirniad wrth iddo longyfarch y ddau. 'Yn wyrthiol, a dweud y gwir, o feddwl dy fod ti a'r beic ar lawr ychydig yn ôl. Wnes i erioed feddwl y buaset ti'n gallu ailgychwyn wedyn—heb sôn am ennill y ras efo Gethin!'

Ac fe wyddai Siôn hefyd nad oedd o erioed yn ei fywyd wedi cael cystal ras â hon. Dim ond un anlwc bychan a'i rhwystrodd rhag ennill y ras ar ei ben ei hun.

'Roeddet ti'n grêt, Geth!' meddai Siôn wedi i'r ddau dderbyn y Tlws arbennig i'w rannu am flwyddyn. 'Ond mi ddweda i un peth wrthot ti rŵan—dim ond y fi fydd yn derbyn y Tlws y flwyddyn nesaf!'

TEITLAU ERAILL GAN GOMER YNG NGHYFRES CLED

Rhannwyd y gyfres yn dri grŵp wedi'u graddoli yn ôl iaith a chynnwys, a nodir hynny gydag un, dau neu dri nod.

- *'Tisio Bet?* Emily Huws
- *'Tisio Sws?* Emily Huws
- *'Dwisio Dad* Emily Huws
- *'Dwisio Nain* Emily Huws
- *Piwma Tash* Emily Huws
- *Tash* Emily Huws
- *Jinj* Emily Huws
- *Tic Toc* Emily Huws
- *Strach Go-Iawn* Emily Huws
- *Nicyrs Pwy?* Emily Huws
- *'Sgin ti Drôns?* Emily Huws
- *Croeso, Ms Swyn* Terence Blacker/Rhian Pierce Jones
- *Ms Swyn dan Glo* Terence Blacker/Rhian Pierce Jones
- *Doctor Swyn* Terence Blacker/Rhian Pierce Jones

- ●● *Canhwyllau* Emily Huws
- ●● *Dwi'n ♥ 'Sgota* Emily Huws
- ●● *Dwi Ddim yn ♥ Balwnio* Emily Huws
- ●● *Ydw i'n ♥ Karate?* Emily Huws
- ●● *Ydi Ots?* Emily Huws
- ●● *Modryb Lanaf Lerpwl* Meinir Pierce Jones
- ●● *Iechyd Da, Modryb!* Meinir Pierce Jones
- ●● *Y Gelyn ar y Trên* T. Llew Jones
- ●● *Craig y Lladron* Ioan Kidd
- ●● *Tân Gwyllt* Pat Neill/Dic Jones
- ●● *Delyth a'r Tai Haf* Pat Neill/Dic Jones
- ●● *Adenydd Dros y Môr* Pat Neill/Dic Jones

- ●● *Lleuwedd* D. Wiseman/Mari Llwyd
- ●● *Y Mochyn Defaid* Dick King-Smith/Emily Huws
- ●● *Rêl Ditectifs!* Mair Wynn Hughes
- ●● *Fe Ddaeth yr Awr* Elfyn Pritchard
- ●● *Y Defaid Dynion* Siân Lewis
- ●● *Gwe Gwenhwyfar* E. B. White/Emily Huws
- ●● *Wham-Bam-Bang!* Dick King-Smith/Emily Huws
- ●● *Cyfrinach y Mynach Gwyn* Eirlys Gruffydd
- ●● *Os Mêts, Mêts* Terrance Dicks/Brenda Wyn Jones
- ●● *Mêts o Hyd* Terrance Dicks/Brenda Wyn Jones

- ●●● *Nefi Bliwl!* C. Sefton/Emily Huws
- ●●● *Magu Croen Rhag Poen* Mair Wynn Hughes
- ●●● *Yr Indiad yn y Cwpwrdd* L. R. Banks/Euryn Dyfed
- ●●● *Gan yr Iâr* Anne Fine/Emily Huws